Rodrigo Solano

# SEM FRONTEIRAS PARA O SUCESSO!

Guia para internacionalização de profissionais, negócios e produtos

**Publisher**
Henrique José Branco Brazão Farinha
**Editora**
Cláudia Elissa Rondelli Ramos
**Preparação de texto**
Cláudia Elissa Rondelli Ramos
**Revisão**
Gabriele Fernandes
**Projeto gráfico de miolo**
Vanúcia Santos
**Diagramação**
Vanúcia Santos
**Capa**
Rubens Lima
**Impressão**
Renovagraf

Copyright © 2020 *by* Rodrigo Solano
Todos os direitos reservados à Editora Évora.

Rua Sergipe, 401 – Cj. 1.310 – Consolação
São Paulo – SP – CEP 01243-906
Telefone: (11) 3562-7814/3562-7815
Site: http://www.evora.com.br
E-mail: contato@editoraevora.com.br

**Dados Internacionais de Catalogação na Publicação (CIP) de acordo com ISBD**
**Elaborado por Vagner Rodolfo da Silva - CRB-8/9410**

---

S684s     Solano, Rodrigo
          Sem fronteiras para o sucesso! Guia para internacionalização de profis-
sionais, negócios e produtos / Rodrigo Solano. - São Paulo, SP : Évora, 2020.
          256 p. ; 16cm x 23cm.

          Inclui bibliografia.
          ISBN: 978-65-88199-00-8

          1. Administração. 2. Internacionalização. 3. Profissionais. 4. Negócios.
5. Produtos. 6. Sucesso. I. Título.

2020-1559                                CDD 658.049
                                              CDU 658.012.65

---

**Índice para catálogo sistemático:**
1. Internacionalização : Negócios 658.049
2. Internacionalização : Negócios 658.012.65

# Agradecimentos

Internacionalização é um tópico que tem feito parte da minha vida tanto profissional quanto pessoal. Ao longo do tempo, conheci incontáveis pessoas de diversas organizações a quem devo sinceros agradecimentos por terem servido de inspiração e estímulo para a realização deste livro.

A seguir, menciono algumas das organizações com que tive mais interface:

- Agência Brasileira de Promoção de Exportações e Investimentos (Apex-Brasil)
- Câmara de Comércio Árabe-Brasileira
- Thai Trade Center – São Paulo (Serviço de promoção comercial do governo tailandês no Brasil)
- Associação Brasileira da Indústria de Chocolates, Amendoim e Balas (Abicab)
- São Paulo Negócios
- Conselho Brasileiro das Empresas Comerciais Importadoras e Exportadoras (CECIEx)
- Federação das Indústrias do Estado de São Paulo (FIESP)
- Editora Évora

Estendo os agradecimentos às demais câmaras de comércio, entidades de classe e empresas que têm trabalhado comigo e logrado a internacionalização com sucesso e, especialmente, aos professores e doutores que muito contribuíram com meu conhecimento, como:

**Isabel Jungk –** Minha orientadora na especialização em clínica da cultura.

**Lucia Santaella –** Coordenadora do curso de semiótica psicanalítica da PUC/SP.

**Marcelo Santos –** Meu orientador no mestrado em comunicação na Faculdade Cásper Líbero.

**Maria Helena Afonso –** Especialista em internacionalização e interculturalidade no Mackenzie e na UNIP.

**Marli dos Santos –** Coordenadora do programa de mestrado da Faculdade Cásper Líbero.

Por último, reservo grande sentimento de gratidão ao meu sócio e amigo Leandro M. Joia Geremias, que dedicou parte do seu tempo para ajudar na revisão do conteúdo desta obra.

# Sumário

**Agradecimentos** ....................................................................................3

**Introdução** ...........................................................................................11

**Como utilizar melhor este livro** ....................................................... 15
    Índice detalhado.............................................................................. 15
    Sistema de ícones ........................................................................... 15
    Do conhecido para chegar ao desconhecido ............................. 16

**CAPÍTULO 1 - Coaching como ferramenta de planejamento para**
**a internacionalização** ......................................................................... 19
    1. Coaching segundo o dicionário ................................................ 19
    2. Coaching segundo organizações competentes ...................... 20
      "Carroça" ........................................................................................20
    3. Questionar: pensar filosoficamente .........................................21
    4. De treinador a coach .................................................................23
    5. Coaching × terapia ....................................................................23
    6. Coaching × mentoria .................................................................24
    7. Planejamento estratégico .........................................................25
    8. Afinal, o que é coaching? .........................................................26
    9. Quem deve conduzir o processo de coaching? .....................28
    10. Coaching empresarial ............................................................. 31
    11. Coaching para internacionalização ........................................33

**CAPÍTULO 2 - Decisão sobre se internacionalizar** .........................37
    1. O que é internacionalização ......................................................37
    **2. Premissas da internacionalização** .........................................38
      2.1. Internacionalização de pessoas/profissionais ................... 38
      2.2. Internacionalização de organizações e negócios .............. 39
      2.3. Internacionalização operacional de produtos e serviços ............. 39
    **3. Desafios** .................................................................................... 40
      3.1. Estudo constante ..................................................................40
      3.2. Necessidade de tempo .........................................................40
      3.3. Investimento em recursos .................................................... 41

**4. Vantagens** ....................................................................... **42**

4.1. Aumento de ganhos ......................................................... 43

4.2. Diferenciação ................................................................... 43

4.3. Competitividade .............................................................. 43

4.4. Visibilidade ...................................................................... 44

4.5. Lidar com a sazonalidade ............................................... 44

4.6. Incentivos ........................................................................ 44

**CAPÍTULO 3 - Internacionalização de pessoas:**
**profissionais e empreendedores** ............................................**47**

1. *International mindset*: conhecimento internacional ............ 48

1.1. Geografia ........................................................................ 49

1.1.1. Localização de países ................................................ 49

1.1.2. Regiões que mais causam dúvidas ........................... 50

Oriente Médio ................................................................ 50

Países Árabes ................................................................ 51

Países Islâmicos ............................................................ 51

Ásia Central .................................................................. 51

África ............................................................................. 52

África do Sul .................................................................. 52

Turquia ......................................................................... 52

Líbano ........................................................................... 52

1.1.3. Nacionalidades e etnias ............................................ 53

Nacionalidade ............................................................... 53

Etnias ............................................................................ 54

Nacionalidades e etnias que mais causam dúvidas ....... 56

Espanhóis ...................................................................... 56

Indianos ........................................................................ 57

Sul-Africanos ................................................................ 58

Nigerianos ..................................................................... 58

Sírios ............................................................................. 58

Chineses ........................................................................ 59

Russos ........................................................................... 59

Norte-Africanos ............................................................ 60

Africanos ....................................................................... 60

Japoneses ...................................................................... 60

Turcos ............................................................................ 60

Alemães ......................................................................... 61

1.2. Cenário político-econômico ........................................... 61

História ............................................................................. 61

1.2.2. Principais indicadores a serem estudados ................ 62

População ...................................................................... 62

Produto Interno Bruto ................................................... 62

PIB per capita ................................................................ 63

Crescimento econômico ................................................ 63

1.2.3. Índice de Desenvolvimento Humano ........................ 63

Moeda ........................................................................... 64

1.2.4. Evitando erros comuns .............................................. 64

**2. Inteligência cultural** ....................................................... **65**

2.1. O que é cultura ................................................................ 66

2.2. Cultura e psicanálise ....................................................... 67

2.3. Estruturas psíquicas: como os indivíduos lidam com a cultura ...... 68

    Neurótica ........................................................................ 69

    Perversa ......................................................................... 70

    Psicótica ......................................................................... 71

2.4. A influência da cultura na nossa percepção ....................... 72

2.5. Diferenças culturais ......................................................... 75

2.6. Quociente cultural ............................................................ 76

    2.6.1. Motivação (CQ Drive) ............................................. 77

    2.6.2. Cognição (CQ Knowledge) ....................................... 77

    2.6.3. Metacognição (CQ Strategy) ................................... 78

    2.6.4. Comportamento (CQ Action) .................................. 78

2.7. As dimensões culturais ................................................... 81

    2.7.1. Distância do poder .................................................. 83

    2.7.2. Individualismo ........................................................ 84

    2.7.3. Orientação para o desempenho **........................ 85**

    2.7.4. Controle da incerteza .............................................. 86

    2.7.8. Orientação a longo prazo ........................................ 87

    2.7.9. Indulgência ou hedonismo ...................................... 87

    2.7.10. Peculiaridades de cada cultura ............................. 88

**3. Lidando com o "outro": inteligência emocional** ................. **91**

3.1. Autoconsciência ............................................................... 95

3.2. Autogerenciamento .......................................................... 95

3.3. Automotivação ................................................................. 97

3.4. Empatia .......................................................................... 97

3.5. Habilidades sociais .......................................................... 98

**4. Línguas** ................................................................................ **98**

4.1. Falar uma língua global ................................................... 100

4.2. Línguas importantes ........................................................ 101

4.3. Língua como diferencial competitivo ................................. 102

**5. Relacionamento com estrangeiros** ................................... **103**

5.1. Comunicação internacional .............................................. 103

5.2. Negociação internacional ................................................. 107

**6. Preparando-se para viagens internacionais** ..................... **112**

    Documentação ................................................................. 112

    Visto ................................................................................ 113

    Questões de saúde ........................................................... 113

    Agenda ............................................................................ 114

    Onde ficar ........................................................................ 115

    Transporte local ............................................................... 115

    Gastos ............................................................................. 116

    Cópias de documentos ...................................................... 117

    Equipamentos eletrônicos ................................................. 117

Legislação local ........................................................ 117

Bagagens ................................................................. 117

Check-in no voo ........................................................ 118

Calma e serenidade .................................................. 118

## CAPÍTULO 4 - Internacionalização de negócios ........................................... 119

### 1. Montando um plano de negócios internacional ........................................ 119

1.1. Estrutura básica de um projeto ........................................ 120

4Q ........................................................................ 122

POC ...................................................................... 123

1.2. Itens de um plano de negócios ........................................ 126

### 2. Internacionalização do plano de negócios ........................................ 128

### 3. Missão, visão e valores do negócio internacional ........................................ 129

3.1. Missão ................................................................. 129

3.2. Visão ................................................................... 130

3.3. Valores ................................................................ 131

### 4. Descrição do negócio ........................................ 132

### 5. Formas de internacionalização ........................................ 134

Oferta em território nacional ........................................ 134

Vendas além-fronteiras ........................................ 134

Pessoal dedicado às vendas externas ........................................ 135

Representação comercial no exterior ........................................ 136

Franquia internacional ........................................ 137

*Joint venture* ........................................ 138

*Foreign assembly* ou montagem internacional ........................................ 138

Subsidiária no exterior ........................................ 139

### 6. Padrões internacionais ........................................ 140

6.1. Ambiente e materiais físicos ........................................ 141

6.2. Ambientes eletrônicos ........................................ 142

E-mails ........................................ 144

6.3. Inovação e tecnologia ........................................ 144

### 7. Planejamento de marketing para negócios internacionais ........................................ 146

7.1. Produtos e serviços internacionais ........................................ 146

Liderança de custo ........................................ 151

Liderança de produtos ........................................ 151

Liderança de relacionamento ........................................ 152

Liderança de efeito de rede ........................................ 152

7.2. Especificações legais dos produtos ........................................ 152

7.3. Embalagens ........................................ 154

7.4. Especificações técnicas para embalagens ........................................ 155

Embalagem primária ........................................ 155

Embalagem secundária ........................................ 156

Embalagem terciária ........................................ 156

7.5. Registro de marcas e patentes ........................................ 157

7.6. Pesquisa de mercado internacional ........................................ 158

7.7. Ações de promoção internacional ........................................162

    Site internacional .........................................................162

    Redes sociais .............................................................. 164

    Relações públicas e contato com a mídia .....................165

    Viagens de prospecção ...............................................167

    Feiras e rodadas internacionais ..................................167

    Rede de relacionamento internacional .......................... 170

    Anúncios ....................................................................171

7.8. Praça – Distribuição e clientes ..................................171

    *Trading companies*......................................................172

Importadores atacadistas .................................................173

    Importadores varejistas ..............................................173

    Agentes (*brokers*) .....................................................174

7.9. Preço .......................................................................175

    Preço de penetração ...................................................178

    Preço inicial elevado ...................................................178

    Alinhamento do preço com o líder de mercado ............179

    Alinhamento do preço por categoria ...........................179

    Preço que o mercado suporta ....................................179

    Preço variável ............................................................179

    Preço para venda internacional ................................. 180

    Lidando com a concorrência ......................................182

**8. Gestão, operações e finanças de negócios internacionais** ..............**188**

**CAPÍTULO 5 - Internacionalização operacional de produtos** ................**195**

**1. Processo de venda adaptado ao público internacional** .........**196**

1.1. Prospecção ............................................................. 196

1.2. Aproximação .......................................................... 196

1.3. Identificação de necessidades ................................197

1.4. Oferta de valor .......................................................198

1.5. Negociação ...........................................................198

1.6. Compromisso ...................................................... 200

1.7. Pós-venda ........................................................... 201

**2. Operação da venda internacional** ................................ **202**

2.1. Fluxograma de exportação ................................... 204

2.2. Compreendendo as etapas ................................... 205

**3. Conhecimento específico** .......................................... **214**

3.1. Conhecimento específico 1: financiamentos à exportação ............214

3.2. Conhecimento específico 2: exportação de baixo volume
– Exporta Fácil ..............................................................216

3.3. Conhecimento específico 3: descrevendo produtos
globalmente .................................................................217

3.4. Conhecimento específico 4: habilitação para atuar
em comércio exterior ................................................... 220

9

3.5. Conhecimento específico 5: definindo direitos e obrigações na operação ............................................................................221

    Resumo da transferência de obrigações por INCOTERMS .........229

3. 6. Conhecimento específico 6: modalidades de pagamento ...........230

    Carta de crédito ..............................................................231
    Cobrança com saque ......................................................232
    Remessa sem saque .......................................................233
    Pagamento antecipado ...................................................233

## 4. Partes envolvidas no processo: organizações .......................235

4.1. Organização 1: exportador ...................................................235

    A - Exportação direta ....................................................235
    B - Terceirização (exportação indireta) ..........................235

4.2. Organização 2: cliente direto (importador) ...........................236

4.3 Organização 3: instituições financeiras ................................237

    A. Corretora de câmbio ..................................................237
    B. Bancos .......................................................................238
    C. Outras instituições .....................................................239

4.3. Organização 4: despachantes aduaneiros ............................239

4.4. Organização 5: transporte internacional .............................239

    A. Agente de carga ........................................................240
    B. Transportador marítimo .............................................240
    C. Transporte aéreo .......................................................241
    D. Transporte rodoviário ...............................................242
    E. Outros transportes ....................................................242
    F. Contêineres ...............................................................243

## 5. Documentação ...................................................................244

5.1. Documentação 1: ordem de compra ....................................244

5.2. Documentação 2: fatura proforma ......................................245

5.3. Documentação 3: carta de crédito .......................................245

5.4. Documentação 4: atendendo a exigências legais do país de destino (certificados) ........................................................................245

5.5. Documentação 5: informações para o ingresso da carga no exterior (fatura comercial) ...................................................................246

5.6. Documentação 6: informando como a mercadoria está acomodada (*Packing List*) ........................................................................247

5.7. Documentação 7: nota fiscal ...............................................247

5.8. Documentação 8: conhecimento de transporte internacional ......247

5.9. Documentação 9: declaração única de exportação ............................................................................248

## Para continuar .......................................................................251

## Bibliografia ............................................................................253

# Introdução

Muitos dos textos sobre internacionalização com que me deparo a tratam sob um aspecto operacional, o que é válido, mas amplamente difundido e, muitas vezes, com bibliografia gratuita disponível. A maior parte do conhecimento necessário para ter sucesso na internacionalização fica dispersa e os empreendedores e profissionais que desejam expandir seus negócios precisam garimpar e lapidar as informações.

Com isso em mente, decidi desenvolver um material prático que possa ser útil a qualquer empreendedor ou profissional que deseja internacionalizar-se. Dessa maneira, o conteúdo deste livro contempla temas primordiais para uma internacionalização efetiva sem perder de vista as questões operacionais.

O foco principal é abastecer o leitor de recursos e estímulos para se tornar competitivo e compreender as nuances das relações internacionais, principalmente no que tange à cultura.

Para adaptar-se a leis e procedimentos estrangeiros, mesmo que comumente difícil, existem documentos, manuais e referências que servem como guia à disposição. Já as questões culturais, primordiais para o sucesso de um negócio, são pouco difundidas nos meios corporativos e até mesmo acadêmicos.

Por isso, visando ao sucesso nas operações, dou extrema importância para os âmbitos culturais e psicológicos que, no fundo, constituem o que mais diferencia um profissional ou empreendedor bem-sucedido dos demais. Operações de venda, exportação e logística são matérias estruturadas, e existe uma vasta gama de materiais desenvolvidos sobre esses tópicos.

Já os impactos culturais nesses processos costumam ser analisados depois de muitas perdas, o que faz parte do aprendizado. Todavia, o preparo e o estudo prévios podem fazer grande diferença e poupar recursos, até mesmo financeiros.

Assim, esta obra, antes de mais nada, é um estímulo a um olhar mais claro e direcionado ao mundo além das fronteiras, que tem um mercado quase quarenta vezes maior que o nacional.

Pensar apenas no mercado brasileiro é limitar-se a ele e tornar-se a médio ou longo prazo menos competitivo, já que empresas globais ou internacionais se expandem e trazem para o Brasil as novidades que chamam a atenção dos consumidores brasileiros. Quando se pensa em internacionalização, é preciso uma visão global e estar à altura das organizações que atuam com qualidade em diversos países.

Mesmo que estejamos tratando de um pequeno estabelecimento comercial localizado numa região turística do Brasil, a adaptação à clientela internacional contribui com o desenvolvimento de melhores produtos e serviços, fazendo do empreendedor uma referência que pode competir em nível global.

Ademais, durante esses vinte anos de trabalho com internacionalização, deparei-me com desafios que tem se repetido constantemente como se fossem um mantra. Frequentemente percebia que na relação entre vendedor e comprador faltava uma conexão maior, um conhecimento mais profundo sobre o cliente, um atendimento que demonstrasse atenção e estimulasse-o a comprar. Talvez esse fator tenha contribuído para que os compradores enxergassem somente o preço baixo como vantagem.

Meu desejo de apoiar profissionais e empreendedores brasileiros era muito grande, mas se limitava ao escopo dos cargos que ocupava. Por isso, este livro nasceu como a possibilidade de uma realização pessoal: estimular o pensamento internacional nos profissionais e contribuir com o desenvolvimento das organizações brasileiras.

Para isso, usei, em partes, duas metodologias fortíssimas para a assimilação de conceitos e conscientização: o coaching e a mentoria. Obviamente o coaching, tal como é conhecido na contemporaneidade, necessita de um profissional que o conduza. Entretanto, o método de condução preexiste à sua aplicação atual. O coaching é baseado em um questionamento lógico e racional, e isso a filosofia tem feito há milhares de anos, promovendo a evolução humana. Como sou formado em coaching e amante do pensamento filosófico, entenda-se aqui questionador, não poderia desprezar essa importante ferramenta para melhor eficácia no objetivo da internacionalização.

Incluí também a mentoria mencionando de maneira simplificada assuntos complexos e, sempre que possível, apresentando fontes oficiais para obtenção de informações atuais e detalhadas sobre cada tópico abordado. Também estão contemplados comentários pertinentes de autoridades e profissionais de referência em alguns temas, muitos dos quais contribuíram para a internacionalização do Brasil.

# Como utilizar
# melhor este livro

Este livro pode ser utilizado como guia ou livro didático. Para isso, procurei organizar seu conteúdo da maneira mais simplificada e dinâmica possível, de modo que você possa encontrar as informações de que necessita de maneira rápida e simples.

## ■ ÍNDICE DETALHADO

O índice é apresentado de forma bastante detalhada. Assim, os pesquisadores podem ver seu conteúdo e avaliar se atende às suas necessidades e os leitores podem localizar tópicos específicos com maior agilidade.

## ■ SISTEMA DE ÍCONES

Para tornar a leitura mais dinâmica e destacar alguns pontos, usarei neste livro um sistema de ícones. Cada ícone possui uma indicação conforme segue:

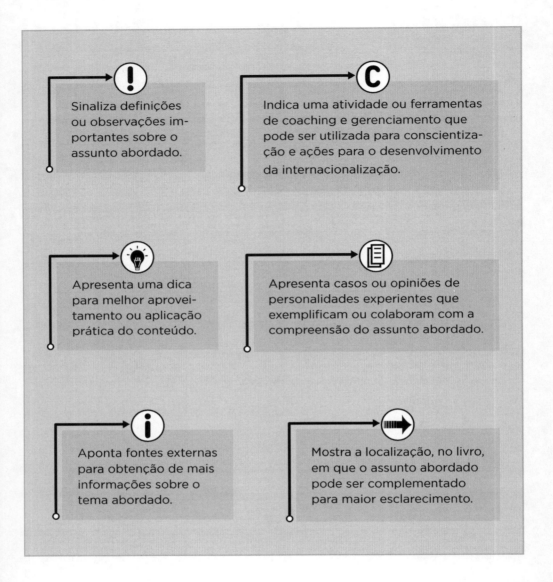

## ■ DO CONHECIDO PARA CHEGAR AO DESCONHECIDO

Parte dos assuntos abordados é técnica e possui vocabulário específico. Nesses casos, parto de temas mais comumente conhecidos para depois apresentar o desconhecido. Por exemplo, supondo que "passaporte" seja um tema abordado neste livro.

Em vez de usar o termo "passaporte" como título ou introdução, iniciaria como "documentos para viagem" e, então, apresentaria o passaporte e para que serve. A mesma lógica será aplicada para falar de semiótica, dimensões culturais, INCOTERMS, NCM e outros temas.

**CAPÍTULO 1**

# Coaching como ferramenta de planejamento para a internacionalização

## ■ 1. COACHING SEGUNDO O DICIONÁRIO

Segundo o dicionário on-line inglês *Oxford*,[1] "coach", do qual vem o termo "coaching", significa "carruagem" ou "ônibus confortavelmente equipado usado para viagens mais longas". A mesma fonte tem uma segunda definição que se refere a um treinador desportivo ou a uma pessoa que oferece ensino extra.

Essa definição formal aponta para uma semântica diferente da que estamos acostumados neste início do século XXI, principalmente no mundo corporativo. Tenho ouvido falar das formas mais variadas possíveis de serviços de coaching e, entre eles, posso destacar: coaching para emagrecimento, coaching de finanças, *life* coaching, coaching profissional e até coaching esotérico.

Tais variedades provocam reflexões sobre o que seria realmente coaching. Pensando na última definição do dicionário,

---

1 Disponível em: <https://dictionary.cambridge.org/pt/dicionario/ingles/coaching>.

todas essas variedades mencionadas são possíveis, já que alguém pode oferecer um ensino extra sobre qualquer tema de interesse.

## ■ 2. COACHING SEGUNDO ORGANIZAÇÕES COMPETENTES

Mas o que dizem as organizações relacionadas ao coaching?

Kate Burton, autora de *Coaching com PNL para leigos*, menciona definições de duas organizações:

- International Coach Federation (Federação Internacional de Coaching): ser coach é ter uma parceria com os clientes em um processo criativo e se tornar um provocador de pensamentos que inspira o outro a maximizar seu potencial pessoal e profissional;
- Association for Coaching (Associação para Coaching): é um processo sistemático colaborativo, focado na solução, orientado para resultados, em que o coach facilita a melhoria do desempenho de trabalho, da experiência de vida, do aprendizado autodirecionado e do crescimento do cliente;

Para W. Timothy Gallwey, autor de *O jogo interior de tênis*, há sempre um jogo interior acontecendo em sua mente, não importa de que jogo você esteja participando. O quão consciente você está disso pode fazer toda a diferença entre o sucesso e o fracasso no jogo externo.

## ■ "Carroça"

Quando partimos da definição de coaching, percebemos uma evolução do significado da palavra. Uma carruagem ou um ônibus normalmente transportam pessoas. Assim pode-se identificar a qualidade metafórica do termo empregado no século

XXI, já que o coach é o que leva uma pessoa de um ponto a outro. Essa transição, no caso que aqui tratamos, seria a de um estado atual ao estado desejado.

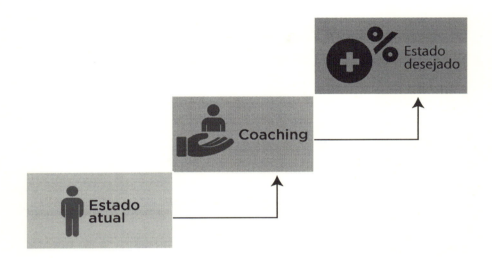

## ■ 3. QUESTIONAR: PENSAR FILOSOFICAMENTE

A maior parte das escolas de coaching evoca o método socrático como alicerce do diálogo. O termo "socrático" remonta a Sócrates, pensador grego que, há mais de 2300 anos, por ser tão questionador, chegou a ser condenado à morte.

Um exemplo de seus questionamentos foi a conversa com Eutidemo. Sócrates perguntou-lhe se ser enganador seria imoral. Eutidemo respondeu "É claro que sim". Sócrates retrucou: "Mas e se um amigo estivesse muito triste e quisesse se matar e você roubasse-lhe a faca? Não seria este um ato enganador?". "Sim, com toda certeza", respondeu Eutidemo. "Mas fazer isso não seria moral em vez de imoral? Trata-se de uma coisa boa, não ruim – embora seja um ato enganador", disse Sócrates. "Sim", respondeu novamente Eutidemo. Sócrates demonstrou que a definição de moral depende da situação, o que Eutidemo não havia percebido.

Ao longo da história, os filósofos levantaram muitas questões, nem todas culminando em conclusões certeiras. As erradas normalmente são obtidas a partir do que a filosofia chama de argumentos falaciosos. Por exemplo, comprar um produto capilar porque um artista famoso diz que é bom não é indicativo de que realmente o é, a não ser que comprovadamente o artista o tenha usado e os efeitos desejados tenham sido obtidos e demonstrados.

Outro exemplo é achar que algo é melhor porque todos ao nosso redor assim dizem ou porque sempre foi tido como melhor. É preciso experimento e evidência para se chegar a uma conclusão.

Frequentemente caímos em armadilhas do pensamento falacioso incentivados pelos nossos desejos e emoções. Geralmente queremos que algo aconteça ou que seja verdadeiro, mas isso não quer dizer que realmente acontecerá ou será verdadeiro. Também podemos ser induzidos pela posição de alguém e concluir que outras afirmativas dessa pessoa sejam adequadas, o que não seria filosoficamente razoável.

Existem diversos outros exemplos de argumentação, pensamentos falaciosos e interferências de nossos desejos e nossas emoções que nos conduzem ao erro. A linguagem, a cultura e o pensamento, ligados entre si, e seus impactos na nossa psique, frequentemente nos levam a conclusões erradas. O pensamento filosófico, que é racionalmente questionador, pode nos auxiliar a não cair nas armadilhas da mente.

A filosofia contemporânea acumula todo o conhecimento histórico de análises de pensamentos que conduziram pessoas ao erro. A habilidade de questionar racionalmente sem levar em consideração as próprias crenças, emoções e desejos deve ser colocada em prática pelo profissional que aplica coaching, o coach.

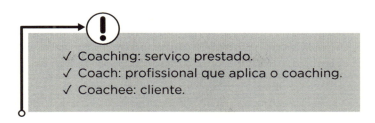

✓ Coaching: serviço prestado.
✓ Coach: profissional que aplica o coaching.
✓ Coachee: cliente.

■ 4. DE TREINADOR A COACH

A primeira pessoa que utilizou o termo com a mesma semântica, ou seja, com o mesmo significado que estamos habituados a ouvir, foi o treinador desportivo Timothy Gallwey.

Nascido em 1938, na cidade de São Francisco, Califórnia, percebeu que a performance dos atletas era influenciada por suas motivações e seus estados psíquicos. A partir dessa percepção, passou a acompanhar e estimular os pensamentos dos atletas voltados para o treinamento de suas equipes com o objetivo de melhorar o desempenho. Seu livro *O jogo interior de tênis* se tornou um best-seller com mais de 2 milhões de exemplares vendidos.

Nele Timothy discorre sobre o "jogo interior", explicando que em um jogo coletivo temos dois adversários: o outro time e a nossa mente. Ele deu ao termo "coaching" um significado ligado à psicologia.

■ 5. COACHING × TERAPIA

Essa ligação com a psicologia não deve ser levada ao extremo pelo profissional que se intitula coach. Enquanto a psicologia e suas teorias costumam lidar com questões de ordem psíquica, o processo de coaching é voltado para soluções. Pelo menos, essa é a proposta comumente adotada pelos profissionais da área.

Um psicólogo deve ser licenciado para atuar como tal. Um psicanalista deve ter a formação necessária para a prática que lida com o inconsciente. Já o coach trabalha com o foco dos pensamentos na ação para atingir os resultados desejados. São pontos interligados, mas diferentes.

Medos, traumas e sofrimentos podem ser tratados com psicólogos e psicanalistas, em um processo chamado de terapia ou análise. O coach não se envolve nessas questões salvo quando tem competência para tal.

O papel do coach é apoiar o cliente, também chamado de coachee, a partir do estado atual para o estado desejado, explorando os melhores recursos e transformando pensamentos em ações.


## ■ 6. COACHING × MENTORIA

O pensamento filosófico tem natureza questionadora, ou seja, parte do pressuposto do desconhecimento, por isso se guia pelo questionamento. O coach normalmente questiona o coachee de modo que ele procure e chegue às soluções de que necessita.

Assim, o coach não ensina caminhos nem indica o que é melhor, ele questiona para que o cliente busque as alternativas certas de modo racional e evite falácias do pensamento.

Isso não quer dizer que o coach não possa ser também um mentor, caso seja capacitado na área de sua mentoria. O importante é saber distinguir um campo de outro. A mentoria tem como essência transmitir um conhecimento. O processo de coaching questiona e aplica ferramentas para que se possa chegar a uma ação em que as possibilidades de erro sejam diminuídas ou, algumas vezes, extintas.

## ■ 7. PLANEJAMENTO ESTRATÉGICO

O diálogo em coaching objetiva a realização daquilo que se deseja e, para que isso se concretize, é preciso planejamento. Dessa maneira, o processo de coaching, muitas vezes, utiliza ferramentas da administração, principalmente as relacionadas a planejamento estratégico.

O que se pretende em coaching resume-se nos seguintes passos:

- Identificar o estado atual;
- Identificar aonde se quer chegar; e
- Identificar as melhores maneiras de se chegar lá.

Se o coachee estiver consciente do estado factual em que se encontra e se o estado desejado for factível e real, ele verificará as opções que tem para atingir o que pretende. O coach o apoiará com as melhores ferramentas e questionamentos cirúrgicos para transformar desejos em ações.

Ao identificar aonde se quer chegar, é muito importante verificar se o desejo é real e factível. Muitas vezes as pessoas acham que querem algo, mas o que realmente desejam está escondido atrás do que é verbalizado. Pode ser o que chamamos de desejo metaforizado ou somente um erro de interpretação do próprio desejo.

Por exemplo, um profissional quer ser reconhecido internacionalmente, e para isso decidiu estudar chinês. Ele busca o serviço de coaching para conseguir atingir a meta de falar chinês fluentemente. É importante que durante o processo o coach consiga estimular a verbalização do desejo para que o cliente chegue à sua verdadeira intenção: ser reconhecido internacionalmente.

A partir dessa premissa, pode-se explorar alternativas e identificar quais seriam mais facilmente acessadas para atingir o que se deseja. Por exemplo, estudar alguma outra língua de aprendizado menos complexo usada por organizações internacionais renomadas ou estruturar sua rede de contatos internacionais de maneira que sua qualificação fosse destacada.

Em face das alternativas, o essencial é que sejam identificadas as opções com as quais o cliente teria maior motivação e acesso a para atingir os objetivos com eficácia.

## ■ 8. AFINAL, O QUE É COACHING?

Já vimos que coaching é um termo metafórico que simboliza transportar uma pessoa ou uma organização de um ponto a outro. É metafórico porque não usamos carroças, ônibus ou nenhum outro meio de transporte convencional para desenvolver o serviço. Nesse caso, o transporte é composto de pensamento filosófico aplicado e ferramentas administrativas visando a influenciar a motivação e a realização de caminhos mais adequados para chegar aonde se quer. É um método que conduz ao estudo e à ação para atingir metas.

Desta maneira, podemos dizer que:

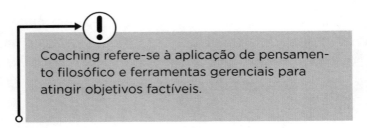

Coaching refere-se à aplicação de pensamento filosófico e ferramentas gerenciais para atingir objetivos factíveis.

Ou seja, coaching nada mais é que filosofia aplicada para se atingir metas.

Atualmente muitas pessoas de diversas áreas se intitulam coach, não somente ou necessariamente por serem coaches propriamente, mas para dar maior visibilidade à sua atuação. Isso é possível porque não existe um curso profissionalizante para coaches ou exigência de certificação formal.

Como vimos, o termo tem uso metafórico, ou seja, não tem um significado denotativo já que coaching não é literalmente uma carruagem ou carroça, mas um método. Essa lacuna permite que cada um estenda o termo como lhe é conveniente em sua atuação.

Não é incomum encontrar pessoas que não conhecem o uso corrente do termo "coaching" e o que se espera do serviço. Dessa forma, misturam erroneamente coaching com palestra motivacional ou que conduz ao sucesso, tutorial e dicas para uma vida melhor. Atuações desse tipo até podem ter resultado, mas não correspondem ao que as entidades internacionais definem como coaching e acabam prejudicando profissionais dedicados, pois difundem uma ideia equivocada do serviço.

As mais conhecidas escolas e instituições que oferecem cursos de coaching possuem, de maneira geral, uma preocupação com o conteúdo ensinado no qual é incluso o pensamento filosófico e as ferramentas para aplicação, além de algumas técnicas próprias de cada uma delas. A certificação de uma escola reconhecida por uma instituição referencial como a Association for Coaching (AC) e a International Coaching Federation (ICF) é uma garantia de que o profissional teve acesso à metodologia usada internacionalmente.

Por outro lado, a maioria das escolas não possui avaliação ou acompanhamento para certificar quais profissionais estão aptos para atuar como coach. Isso gera um primeiro problema: não há garantia de que todos os frequentadores do curso assimilaram o conteúdo mínimo para que possam realmente contribuir com o sucesso de seus clientes.

Além disso, o pensar filosófico requer algumas habilidades. Questionar por questionar não é o foco. É preciso questionar o cliente de modo a clarear sua mente e para que ele tenha ideias inovadoras. Esses pensamentos fogem do controle do profissional, que deve estar atento ao que o cliente comunica verbalmente ou não.

O coach deve ter a habilidade de perceber que seu questionamento possivelmente abrirá uma porta, mas o que está além dela, algumas vezes não será do conhecimento nem dele nem do coach. É o momento de explorar os caminhos para perceber se aquela luz que surgiu é viável ou não. Aí entra mais pensamento filosófico, ou seja, racional e baseado em fatos e evidências para evitar erros ou desperdício de recursos.

Além disso, o coach não deve, de maneira alguma, colocar seus desejos, suas crenças e seus valores no processo de coaching do cliente. Durante a prestação de serviços, não é aconselhável ao coach impor ideologias ou posicionamentos radicais. Ele deve apenas ouvir atentamente o cliente e certificar-se de que está conseguindo acessar alternativas para um planejamento factível e concreto.

## ■ 9. QUEM DEVE CONDUZIR O PROCESSO DE COACHING?

Este livro visa orientar empreendedores e profissionais que queiram usar a ferramenta de coaching, ou melhor dizendo, estudar alternativas factíveis e evidentes para chegar à meta de internacionalização. Assim, ele compreende a abordagem conhecida como coaching e informações acerca da capacitação e do desenvolvimento de ações para que se possa ter sucesso com a atuação internacional.

Teoricamente, qualquer pessoa comprometida com a meta de se internacionalizar pode conduzir o processo a partir dos exercícios de coaching apresentados nesta obra, mas isso não faz dela coach e não substitui o processo de coaching. É importante reforçar que o sucesso tem a ver com a capacidade de pensamento imparcial e com as habilidades filosóficas de questionamento e argumentação, além do conhecimento de ferramentas adequadas e sua aplicabilidade.

Quanto mais neutro e imparcial for o profissional, melhor. Os exercícios não se igualam às sessões de coaching, que exploram recursos além do conteúdo estático de um livro e a dinâmica do diálogo com um profissional preparado. Eles apenas introduzem questionamentos que poderiam fazer parte de um processo de coaching.

Com isso em vista, deixo algumas dicas para a escolha do profissional que poderá conduzir o processo:

**1) Saber o que não é** *coaching*: com a propagação do termo, muitas pessoas prestam diferentes serviços que chamam de "coaching". Entre eles estão: conselhos, mentorias (*mentoring*), terapias, psicologia alternativa, treinamentos etc. Esses serviços não são piores nem melhores que o coaching, somente diferentes da proposta e da metodologia atuais do serviço e, por isso, não devem ser chamados de coaching. Existem também serviços como "coaching nutricional", "coaching para musculação", "coaching de moda", "coaching espiritual" etc. Todavia, é importante que o coach não seja apenas um especialista em sua área, mas aplique a metodologia adequada para chamá-la de coaching. De maneira geral, o coach não opina, não coloca suas expectativas ou dá diretrizes pessoais ao cliente. O método é outro.

**2) Saber o que é coaching:** como vimos, o coaching aplicado hoje leva em consideração a metodologia que se iniciou em Sócrates, perpassando por métodos filosóficos e psicológicos tendo Timothy Gallwey como o precursor do uso semântico corrente do termo coaching e sua metodologia. O *coach* apoia o cliente principalmente por meio de perguntas lógicas e racionais em relação ao estado atual, conduzindo-o para o estado desejado, podendo também fazer uso de ferramentas reconhecidas nas áreas afins.

**3) A formação em coaching é importante:** coach não é um profissional que necessita de formação acadêmica, pelo menos até os dias atuais, o que leva muitas pessoas a se auto-denominarem coaches sem conhecerem o funcionamento de um processo formal de coaching. Segundo Sulivan França, pre-sidente da Sociedade Latino Americana de Coaching, a maior parte das pessoas que se autointitula coach não tem o menor conhecimento do processo, o que além de transmitir um con-ceito errado acerca do método, não entrega o serviço oferecido. Por isso, é importante que o coach a ser contratado tenha certifi-cação de uma escola que seja reconhecida internacionalmente, como a AC e a ICF, para aumentar as chances de profissionalis-mo, metodologia adequada e ética necessários em um processo de coaching. Conhecimentos em áreas de psicologia, psicaná-lise, filosofia, semiótica, administração ou filosofia podem ser fatores agregadores.

**4) O foco do processo é o objetivo do cliente:** diferente da psicanálise, em que o cliente fala livremente a fim de liberar o conteúdo do seu inconsciente para resolver questões do passa-do que interferem no presente, o processo do coaching foca o presente e o consciente. Ou seja, o cliente não fala livremente sobre seus problemas. Ele responde a questões objetivas e cons-cientes sistematicamente focadas, direta ou indiretamente, na realidade desejada ou, em outros termos, no objetivo ou na meta. Independente da área de conhecimento do coach, a metodologia é a mesma (podendo ou não contar com serviços ou profissionais de apoio) e é indiferente se a meta do cliente é emagrecer, casar ou aumentar seu volume de vendas, por exemplo. O que varia é a sequência das sessões, o tipo de perguntas estimulantes e as ferramentas a serem aplicadas.

**5) Verificar a experiência do coach:** grande parte dos coaches no Brasil não possui longa experiência na atuação, já que é uma área ainda relativamente nova. Por outro lado, o coach pode ter experiência em áreas semelhantes ou na especialidade do seu serviço. É sempre válido verificar.

**6) Conhecer os valores praticados:** os valores das sessões de coaching costumam variar dependendo do profissional, da especialidade e do tipo de coaching (pessoal, profissional ou empresarial).

**7) Obter referências do coach:** sendo um investimento significativo, é sempre importante obter referências do coach, seja por meio de redes sociais profissionais, de contatos profissionais ou pessoais, para se informar sobre sua conduta, idoneidade e realizações.

## ■ 10. COACHING EMPRESARIAL

Podemos estender o método de coaching para toda pessoa e/ou conjunto de pessoas que formam uma organização, o que é comumente chamado de coaching empresarial.

O coaching empresarial tem menos a ver com desejos particulares de uma pessoa e muitas vezes tem relação com metas que impactam os resultados ou o sucesso de uma organização diante do seu propósito de existência.

Por exemplo, uma empresa pode decidir ter como meta um crescimento de 5% no mercado para o ano seguinte. Da mesma maneira em que é feito um processo de coaching com uma pessoa, é preciso verificar se essa média é factível.

É preciso avaliar o cenário, verificar a concorrência, estudar estratégias de empresas de atuação semelhante em cenários parecidos que conseguiram crescimento similar além de fazer uma transposição da situação à realidade da sua empresa.

No entanto, nem sempre o objetivo da empresa é crescer em faturamento, vendas ou lucros. Algumas vezes, as organizações podem ter como meta mudar a percepção acerca de seus produtos, motivar as equipes, modificar a cultura e, por que não, ter uma atuação internacional.

Dessa maneira, o profissional que atua como coach, além de estar apto a pensar filosoficamente, deve ser profundo conhecedor de ferramentas gerenciais e de planejamento para provocar uma avaliação das metas e dos impactos das decisões tomadas na organização como um todo.

É preciso ter um mapa mental que funcione semelhante a um plano de negócios, compreendendo:

- Avaliação e definição da meta;
- Como funciona a empresa (o que é mutável e o que não é);
- Produtos e/ou serviços;
- Marketing e vendas;
- Gestão e Recursos Humanos;
- Finanças;
- Operações; e
- Opções de recursos e ações disponíveis para atingir a meta pretendida.

Em muitos casos, as mudanças necessárias para atingir a meta eleita demandam inovações, o que requer pensar fora do que é corriqueiro, ou seja, já pensado e habitual.

Com esse modelo de pensamento desapegado a vícios ou a pseudoconvicções, o processo de coaching pode ser realizado com o uso de ferramentas com foco analítico, tais como:

- Exame do grau de sinergia de cada área da empresa com a meta estabelecida;
- Lista de ações necessárias e seus possíveis impactos holísticos;
- Identificação de possíveis perdas para avaliação da relação custo-benefício;
- Avaliação dos recursos humanos e da cultura empresarial diante do que se pretende; e
- Desenvolvimento de um planejamento enxuto, expandindo-o para os detalhamentos necessários.

O coaching empresarial pode ter diferentes caminhos, formas e recursos para acessar um determinado objetivo, avaliando sempre o estado atual e fornecendo feedbacks assertivos acerca da evolução.

## ■ 11. COACHING PARA INTERNACIONALIZAÇÃO

A internacionalização pode ser uma meta específica de algumas empresas ou organizações que trabalham diretamente no ambiente internacional. Todavia, ela pode ser uma submeta, ou seja, um meio através do qual uma organização pode atingir metas, como:
- Adaptar-se a culturas estrangeiras;
- Atender clientes do exterior;
- Aumentar as vendas;
- Melhorar a visibilidade;
- Atuar em padrões internacionais;
- Diminuir a dependência da volatilidade da economia brasileira;
- Diversificar mercados; e
- Planejar a perenidade do negócio.

Dessa maneira, a internacionalização pode não ser exatamente o que a empresa busca, mas pode ser um meio para que alcance seus objetivos, entre eles um que tende a ser comum a organizações de fins lucrativos: o lucro propriamente dito.

Em países grandes como o Brasil, a Rússia, a China e até os Estados Unidos, a internacionalização parece ser distante já que um enorme mercado interno aparece diante da empresa desestimulando reflexões e esforços para que o negócio seja internacional.

Assim mesmo, não são poucos os casos de empresas desses países que obtiveram sucesso por meio de negócios internacionais.

Tive a oportunidade de observar a atuação de empresas em diversos mercados em pelo menos trinta países. Em muitos aspectos, a maneira como as empresas atuam costuma variar significativamente, seja no comportamento dos seus recursos humanos na negociação, seja na adaptação da comunicação, na agressividade dos esforços de venda bem como em inúmeros aspectos que implicam o sucesso da internacionalização e, consequentemente, os resultados da empresa.

Com isso em vista, escrever sobre a aplicação de uma metodologia poderosa para a internacionalização se tornou para mim uma meta e uma contribuição para pessoas e organizações brasileiras.

Nos próximos capítulos, apresentarei temas que tangenciam a internacionalização, de modo geral para pessoas ou para negócios, entrando em alguns pontos operacionais. Desse modo, o material se estende para além do coaching e abrange mentoria para capacitação e desenvolvimento.

### Desafios e vantagens de se internacionalizar

Existe uma grande dificuldade em sensibilizar os empreendedores sobre a internacionalização. Entretanto, internacionalizar é, muitas vezes, o mesmo que se tornar competitivo e sustentável até mesmo no Brasil.

A internacionalização das empresas brasileiras muitas vezes ocorre quando elas têm alguma oportunidade a partir de um contato estrangeiro, ou seja, uma demanda. É uma forma reativa de internacionalização, o que acaba resultando em operações esporádicas.

É importante que os empreendimentos criem condições culturais para seu desenvolvimento sustentável, o que pode ser obtido por meio da internacionalização.

A internacionalização é uma forma de amortecer efeitos nocivos de crises, já que a rentabilidade não fica refém de apenas um mercado, tendo um leque diverso de clientes em diferentes contextos econômicos.

Além disso, ela é uma excelente forma de fomentar a inovação, pois a empresa tem contato com clientes e concorrentes externos. O desenvolvimento de produtos e estratégias para competir internacionalmente culmina na valorização da marca tanto no exterior como no mercado interno.

Também existem vantagens financeiras. É possível ter menos capital investido para aumentar a produção, uma vez que muitos impostos e tributos incidentes em operações no mercado interno não incidem nas exportações, por exemplo.

Por fim, é claro que existe certo receio da internacionalização, por parecer desconhecida. Entretanto, uma vez vencida essa barreira inicial, que não é senão cultural, abre-se a oportunidade para a expansão de mercados e sustentabilidade do negócio.

**Jose Manuel Meireles de Souza**
Formado em comércio exterior e pós-graduado em marketing, com mais de 25 anos de experiência em comércio exterior.
PHD em negócios internacionais e comércio exterior.

**CAPÍTULO 2**

# Decisão sobre se internacionalizar

## ■ 1. O QUE É INTERNACIONALIZAÇÃO

Antes de tudo, é importante estar consciente do que significa internacionalizar. O prefixo "inter" vem do latim e significa "entre". Ou seja, internacionalizar se refere a algo entre nações, ou seja, que ultrapassa as fronteiras que definem uma nação e, no caso, país. País e nação não são sinônimos absolutos. Para quem vive no Brasil, internacionalizar é atuar com elementos que atravessam as fronteiras brasileiras. Há certa obviedade na definição, mas é justamente a partir dela que chegamos ao tema que nos interessa.

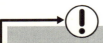

> Vivemos em um mundo globalizado. Muito com o que interagimos tem relação direta ou indireta com a internacionalização, como alimentação, vestimentas, utensílios, TV, música, internet etc.

Por exemplo, se você tem um pequeno negócio de toalhas de renda e um dia um cliente português visita sua loja e acha seus produtos lindos. Após fazer algumas perguntas, decide levar dez toalhas para revender em Portugal. Somente esse fato implica dizer que, de alguma maneira, você internacionalizou seu produto. Você vendeu para outro país que, obviamente, está além das fronteiras brasileiras.

Mas vamos mudar um pouco a história. Digamos que o cliente fosse norte-americano. Seria necessário alguém que fale inglês para dar as informações sobre o produto. E, se ele quisesse não dez, mas 150 unidades no prazo de trinta dias? Seria necessário ter produção adequada, mantendo a mesma qualidade e padrão da peça que ele gostou, além de saber como entregá-las. Ou seja, internacionalizar demanda planejamento.

## ■ 2. PREMISSAS DA INTERNACIONALIZAÇÃO

Essa história poderia ser modificada de diversas maneiras, mostrando em que setores o empreendimento poderia se internacionalizar. Para simplificar e ao mesmo tempo abranger a maior parte dos aspectos da internacionalização, dividi o tema em três partes as quais chamo de premissas ou tripé:

## ■ 2.1. Internacionalização de pessoas/profissionais

Tratarei de questões relacionadas ao desenvolvimento necessário para que os profissionais tenham uma atuação internacional efetiva. Isso não significa apenas ter documentos para cruzar fronteiras, já que atualmente temos interface com pessoas do mundo inteiro através dos meios eletrônicos. Focarei o conhecimento e o desenvolvimento de habilidades como inteligência cultural e emocional para lidar com a diversidade de formas de pensar e interpretar o mundo, o que tem impacto direto no sucesso das relações e dos negócios e é o que normalmente diferencia um profissional do outro, já que processos são facilmente assimilados no ambiente corporativo.

## ■ 2.2. Internacionalização de organizações e negócios

Atualmente temos contato com organizações e empresas internacionais diariamente. As marcas dos produtos que consumimos, as redes sociais, os mecanismos de busca na internet e as multinacionais com as quais muitas vezes nos relacionamos e nos identificamos frequentemente estudam o mercado e desenvolvem estratégias que cativam os clientes. A internacionalização de organizações e negócios tem a ver com o desenvolvimento de uma atuação adequada para o relacionamento com *stakeholders* estrangeiros cujo objetivo, na maioria das vezes, significa ampliar mercados e aumentar resultados.

*Stakeholders* constituem o público que tem interesse, influencia ou é influenciado por uma organização ou um negócio. Alguns exemplos são clientes, clientes potenciais, funcionários, fornecedores e mídia.

## ■ 2.3. Internacionalização operacional de produtos e serviços

Tornar produtos e serviços internacionais é uma necessidade que tem crescido. Desde que os portugueses começaram a levar novidades do mundo todo para a Europa, o ocidente se transformou. Hoje temos produtos de praticamente qualquer região do mundo no Brasil e mercados potenciais para produtos brasileiros em diversas áreas geográficas do globo terrestre. É uma enorme possibilidade de aumento de vendas. Para isso, quem desenvolve e comercializa tanto produtos quanto serviços deve levar em consideração as tendências, os aspectos culturais, os idiomas, a regulamentação e as operações para ampliar suas vendas. Mesmo uma pequena empresa como uma loja ou uma pousada pode internacionalizar seus serviços atraindo estrangeiros.

## ■ 3. DESAFIOS

Como estamos falando da internacionalização de forma genérica, ou seja, englobando pessoas e profissionais, organizações e negócios e produtos e serviços, o apontamento de desafios é abrangente e deve ser apenas introdutório. Entre eles:

## ■ 3.1. Estudo constante

Línguas, mercados, culturas, tendências, comunicação, processos, marketing etc, estão entre os principais assuntos importantes, dependendo do tipo e nível de internacionalização pretendida. A boa notícia é que a maioria desses tópicos será abordada neste livro.

## ■ 3.2. Necessidade de tempo

É importante dedicar um tempo ao estudo dos processos de internacionalização. Isso não precisa ser encarado como uma tortura, mas como algo prazeroso ou até lúdico. Hoje existem inúmeras ferramentas que otimizam o tempo e a organização de tarefas.

## ■ 3.3. Investimento em recursos

Para quase tudo o que nos propomos a fazer, existe a necessidade de recursos materiais ou não. Esta obra já é um importante recurso a ser acessado no processo de internacionalização. Outros investimentos devem ser feitos em treinamento e capacitação, adaptações necessárias e marketing.

**Barreiras à internacionalização**

Que grande desafio me foi dado pelo grande amigo Rodrigo Solano. Falar sobre barreiras à exportação. Barreiras? Eu? As técnicas? As regulatórias? Imagino que são essas mesmas e que o tema me foi designado por conta da experiência no setor de higiene pessoal, perfumaria e cosméticos de quase dez anos, setor este desafiado pelas inúmeras regulamentações. Ou quem sabe Rodrigo quis aproveitar a minha mais recente experiência na implantação de projetos de fomento, ou seja, aqueles com empresas iniciantes no tema da internacionalização.

Bom, começo falando que barreiras fazem parte do jogo. Sim, quem decide pelo canal de venda da exportação tem de conviver com elas. Mais do que isso, tem de aprender sobre elas, entendê-las, aprender a se antecipar sobre elas e usá-las estrategicamente. Isso mesmo, não existe mercado ruim e não existe barreira que não possa ser transposta, existe a estratégia que não funciona, o despreparo e a falta de planejamento.

Aliás, no caso dos iniciantes no mercado externo, é recorrente identificar problemas com a capacidade de levantamento e análise de dados e com o planejamento da empresa para operar internacionalmente. Não me refiro somente à análise de mercado, dos concorrentes, da definição da estratégia de marketing, ou seja, os itens relativos aos fatores externos. Falta o planejamento da empresa como um todo. A empresa, os funcionários, os fornecedores, todos alinhados entendendo que possuem um papel relevante no sucesso das operações internacionais. Durante minha carreira vi inúmeros casos, de vários segmentos empresariais, em que o gerente de comércio exterior ou de exportação sofre por anos até que conquiste cinco minutos para falar de exportação nas reuniões de planejamento estratégico da empresa.

A cultura geral sempre foi de priorizar o mercado interno e exportar o excedente, ou exportar somente quando o mercado interno desacelera.

Vejam só como o comércio internacional pode ser desafiador e interessante. Há muitos elementos para equilibrar: o desafio de trabalhar com diferentes povos e culturas, mecanismos supranacionais, os nacionais, acordos, desacordos, barreiras tarifárias e não tarifárias, padrões, certificações, o câmbio, a logística, o *cross border*, a tecnologia, *blockchain* e também a importação que pode fazer parte de uma boa estratégia de exportação. Há tanto para se pensar e tanto para se usar contra ou a favor. Por que não?

Há que se perceber se dificuldades e barreiras não podem também trazer vantagens competitivas. É só uma questão de avaliar tudo sob vários ângulos e perspectivas. Testar um modelo aqui, outro ali.

Encerro agradecendo ao amigo Rodrigo pelo privilégio de escrever algumas palavras em seu livro, que, tenho certeza, contribuirá bastante para os profissionais de nossa área. Gostei muito dessa pequena oportunidade de "dar ideia" como falo por aí nas palestras, aulas e encontros empresarias por onde passo. #keepglobal

**Silvana (Scheffel) Gomes**
Diretora-executiva de negócios e exportação na São Paulo Negócios.
Pioneira no desenvolvimento da classificação da maturidade exportadora de empresas brasileiras.
faleconosco@spnegocios.com
www.spnegocios.com

## ■ 4. VANTAGENS

Quem escreve um livro sobre internacionalização parece suspeito para falar de vantagens de se internacionalizar. Todavia, buscando os exemplos mais efetivos possíveis, podemos apontar:

## 4.1. Aumento de ganhos

Em termos populacionais, o mercado internacional é mais de 35 vezes maior que o brasileiro. Muitos produtos genuinamente brasileiros ainda são desconhecidos no mercado externo, e com uma boa roupagem de marketing podem ser considerados novidades ou até inovações. Produtos feitos à base de açaí são um *case* interessante de sucesso no mercado externo. No entanto, existe uma miríade potencial de oportunidades a serem exploradas. Ampliar os negócios aos estrangeiros significa ter mais clientes.

## 4.2. Diferenciação

Os profissionais que falam línguas estrangeiras e têm experiência ou capacitação para lidar com diferentes culturas são valorizados nas empresas e contribuem para o sucesso dos negócios. O mesmo acontece com empresas e produtos adaptados para mercados internacionais. Os produtos que têm boa aceitação no exterior tendem a ser valorizados por clientes nacionais. O mesmo acontece com estabelecimentos que são frequentados por estrangeiros. A diferenciação está no posicionamento de qualidade internacionalmente reconhecida.

## 4.3. Competitividade

Ao visar a consumidores e empresas estrangeiras como mercados potenciais, o profissional ou o empreendimento passa a observar a concorrência e as inovações em nível internacional. Isso faz com que haja uma atualização nas operações, tornando a atuação, os serviços e os produtos competitivos até mesmo no mercado nacional.

## 4.4. Visibilidade

Profissionais, organizações e negócios com atuação internacional costumam ser bem vistos por *stakeholders*, como clientes, fornecedores, bancos e mídia, o que também tem impacto positivo em suas operações no mercado interno.

## 4.5. Lidar com a sazonalidade

Enquanto empreendedores e empresas que atuam apenas no mercado nacional têm de lidar com períodos de alta e de baixa demanda, aqueles que têm foco no mercado internacional podem continuar a lucrar em momentos em que a demanda no Brasil é baixa. As pousadas, por exemplo, podem atrair visitantes estrangeiros em períodos que costumam receber poucos brasileiros. Os produtos que os brasileiros consomem menos em determinados períodos do ano podem ser exportados.

## 4.6. Incentivos

Existem diversos incentivos de vários organismos brasileiros para quem quer se internacionalizar. Desde orientação até plataformas para promoção internacional, passando pela busca de clientes e isenção ou redução de impostos.

**Refletindo sobre a internacionalização**

1. Defina o que você deseja internacionalizar: você mesmo, sua empresa e/ou seus produtos. Note que um provavelmente está ligado ao outro.
2. Enumere cinco vantagens para você e/ou sua empresa se internacionalizarem além daquelas apresentadas no texto. Procure ser o mais específico possível.
3. Converse com pelo menos duas pessoas e verifique se elas identificam mais vantagens além daquelas que você elencou.
4. Que tipo de ganhos você e/ou sua empresa poderiam ter a partir dessas vantagens?
5. Quais são as principais ações que você precisa realizar para desenvolver a internacionalização?
6. Defina datas, horários, recursos (pessoas, materiais, dinheiro) e prazos.
7. Faça uma lista do que você deixará de fazer para se dedicar à internacionalização.
8. Reflita e conscientize-se!

Ao acabar, deixe o exercício de lado por alguns dias. Retome-o e, se necessário, revise-o. Repita-o até o momento em que se sentir seguro com as respostas.

## CAPÍTULO 3

# Internacionalização de pessoas: profissionais e empreendedores

Até o momento em que a inteligência artificial assuma a liderança na tomada de decisões da maior parte das organizações, serão as pessoas que estarão por trás de todo o processo de internacionalização de si mesmas, de seus negócios, das empresas onde trabalham, de seus produtos e serviços bem como de todas as atividades tangenciais a esses elementos.

Dessa maneira, a internacionalização de pessoas pode ser considerada como o primeiro passo essencial para que negócios, produtos e serviços também possam ser internacionalizados.

Logicamente cada pessoa vai ter uma necessidade específica para se internacionalizar. Um dono de um restaurante em uma cidade turística tem, entre suas prioridades, o atendimento e a comunicação. Já um vendedor internacional de um bem de consumo também precisa conhecer mercados específicos, hábitos e preferências do país para o qual quer vender.

Assim, será apresentado um apanhado geral dos tópicos que focam a internacionalização de pessoas como diferencial competitivo. Grande parte desse conteúdo é essencial para qualquer pessoa que queira ter sucesso ao lidar com estrangeiros.

Alguns campos, principalmente os que tratam de viagens internacionais, podem ter menor relevância para profissionais e empreendedores que terão contato com estrangeiros somente em território nacional. Você deve se sentir livre para priorizar o que melhor atende às suas necessidades!

## ■ 1. *INTERNATIONAL MINDSET*: CONHECIMENTO INTERNACIONAL

Muitos executivos internacionais afirmam que fazer negócios em um mundo globalizado demanda experiência. Se você almeja se tornar um profissional ou empreendedor de sucesso em um mundo globalizado, é importante despertar o interesse para além da sua cultura respeitando diferentes visões, além de adquirir o máximo de conhecimento internacional incluindo, principalmente, temas pertinentes à sua atuação.

Por exemplo, se você recebe turistas em seu estabelecimento, é importante saber a nacionalidade deles, para onde costumam viajar, quais são suas preferências, com que tipo de atendimento estão acostumados, se costumam gastar muito em viagens etc. Esse tipo de informação o auxiliará a planejar o alcance da excelência em atendimento a esses turistas.

Por outro lado, se você trabalha com fabricação e venda de produtos é importante descobrir quais países compram ou estariam dispostos a comprar seus produtos, se eles necessitam de adaptações, como seria o processo de venda internacional, se há necessidade de certificação para exportar etc.

Abordarei o assunto com mais profundidade nos capítulos relacionados à internacionalização de negócios e de produtos. Agora, focarei em informações que o ajudarão a ter uma mentalidade internacional ou *"international mindset"*.

## 1.1. Geografia

A geografia é a ciência que tem como objeto de estudo a relação entre o planeta e seus habitantes. Fazem parte dela diferentes ramos, entre os quais a geografia humana, nosso interesse.

Ela diz respeito à relação entre a sociedade e o espaço. É um conteúdo extenso e o que pretendemos aqui não é fornecer um manual geográfico, mas um guia essencial do que é importante conhecer de geografia para iniciar uma atuação internacional.

### 1.1.1. Localização de países

É muito importante pesquisar acerca dos países e das cidades onde moram ou de onde vêm as pessoas com as quais você interage ou deseja interagir. Parece algo simples, mas ainda existe uma enorme confusão nesse aspecto. Participei de diversos eventos internacionais e, não raro, conheci profissionais que não sabiam sobre isso.

Já ouvi dizer que Brasil ficava na Itália, que Buenos Aires era a capital do Brasil, que o Egito era um país da Ásia, quando na verdade fica na África. Houve casos ainda mais interessantes em que pessoas disseram que "A Arábia Saudita é um país que fica no Islã". O islã é uma religião e não uma região geográfica.

Embora seja matéria básica em grande parte das escolas do mundo, nem sempre as pessoas se atêm aos conhecimentos geográficos. Saber onde se situa o país da pessoa com a qual você vai interagir evitará fazer afirmações que possam causar desconforto ou manchar sua imagem diante de potenciais clientes. É primordial verificar as informações em fontes confiáveis.

Embora haja controvérsias, nas questões geográficas a Wikipedia pode ser uma fonte introdutória de informações quando não se tem tempo para pesquisas mais completas: www.wikipedia.org. Outra opção tida como mais confiável é a Enciclopédia Britânica: www.britannica.com.

## ■ 1.1.2. Regiões que mais causam dúvidas

O conteúdo a ser apresentado pode ser mais proveitoso se for estudado com o auxílio de mapas. Procure identificar onde se situa cada uma das regiões e países mencionados. Durante a leitura pode ser que desperte em você o interesse de saber sobre uma região não mencionada no texto. Aproveite e pesquise! Essa é uma excelente oportunidade para memorizar e ampliar o acervo geográfico de sua mente.

### ■ Oriente Médio

É uma região que envolve parte da Ásia ocidental e do Nordeste da África. Não há um consenso para classificar quais países fazem parte do Oriente Médio, mas normalmente são incluídos: Egito, os países do Golfo Arábico ou Pérsico, Países do Levante Árabe, Turquia e Israel. É importante notar que existem diferentes povos que falam línguas variadas na região, como: árabe, persa, turco, hebraico, curdo e até aramaico. A língua muitas vezes está ligada à etnia.

O Golfo Pérsico é uma região dividida entre o Irã, que é um país de língua persa, e os países da península arábica que preferem o termo Golfo Arábico, já que a região contempla vários países árabes. Ao interagir com árabes é recomendável se referir à região segundo seus costumes, o que deve criar mais empatia.

### ■ Países Árabes

Também chamado Mundo Árabe, é o grupo formado por 22 países espalhados pelo norte da África e o Oriente Médio conhecido como Liga Árabe. O traço mais forte que têm em comum é a língua árabe. Existem árabes loiros, brancos, morenos e negros, de religião islâmica e cristã, entre outras. Além desses países, existem outros em que também se fala árabe ou que são considerados árabes. Um exemplo é Níger.

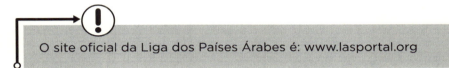

O site oficial da Liga dos Países Árabes é: www.lasportal.org

### ■ Países Islâmicos

São países que têm como religião oficial ou majoritária o islã e abrigam quase um quarto da população mundial, com tendência de crescimento, e constituem um enorme mercado a ser considerado. Existem países islâmicos de diversas etnias e línguas, como árabe, persa, malaio, hindustâni, turco e suaíle, entre várias outras.

### ■ Ásia Central

É formada por Cazaquistão, Quirguistão, Tadjiquistão, Turquemenistão, Uzbequistão e, algumas vezes, o Afeganistão também é incluído. Existem diversos grupos etnolinguísticos na região, havendo majoritariamente persas e turcos. Há bastante influência islâmica por um lado e russa por outro, uma vez que muitos dos locais fizeram parte da antiga União Soviética. Não devem ser confundidos com árabes.

## ■ África

Ainda há quem acredite que a África seja um país, quando de fato é um continente dividido em 52 países formados por inúmeros povos. A maior área da região norte, ou saariana, fez parte do Império Romano e hoje é ocupada por povos árabes e berberes, principalmente. A África subsaariana, também conhecida como África Negra, é onde se situam países de populações majoritariamente negras.

A palavra *"berbere"* tem ligação com o termo "bárbaro". É preferível chamar esses grupos étnicos de *"imazighen"*, que significa "povo livre".

## ■ África do Sul

É o nome dado ao país chamado República da África do Sul. Não se trata de uma região ou continente. Lá vivem diversos grupos étnicos.

## ■ Turquia

É um país situado entre a Europa e a Ásia. Não é um país árabe como muitas pessoas costumam deduzir. Sua língua e etnia são bastante diferentes da dos árabes.

## ■ Líbano

Esse, sim, é um país majoritariamente árabe situado no Oriente Médio e foi também a região que o povo fenício habitou.

### ◼ 1.1.3. Nacionalidades e etnias

Uma vez fui apresentado a uma pessoa nos Estados Unidos, e ela informou a outros norte-americanos presentes que eu era brasileiro. Pude ouvir em um grupo ao lado uma criança perguntando à sua mãe: "Mamãe o que é um brasileiro?". A mãe prontamente respondeu: "São mexicanos que vivem na Amazônia". Além disso, frequentemente muitos estrangeiros assumiam que, por eu ser brasileiro, era hispânico e falava espanhol.

Esse tipo de crença é baseado em "pré-conceitos" e desconsidero qualquer interpretação pejorativa da palavra. Vamos ver no tópico relacionado à inteligência cultural que todos nós temos preconceitos e que isso é algo natural. Entretanto, quando estamos recebendo ou visitando um cliente, não queremos cometer uma gafe como essa e causar má impressão.

Nós, brasileiros, também cometemos muitos deslizes devido ao desconhecimento a respeito de algumas nacionalidades e etnias e por talvez estarmos acostumados a perceber o tema de maneira particularmente brasileira.

Para garantir um alinhamento neutro, racional e lógico como pede um processo de coaching, vejamos:

### ◼ Nacionalidade

Algo relativamente simples. Descobrir a nacionalidade originária é praticamente verificar como é chamado cada cidadão que nasce em um determinado país. Assim, quem nasce no Brasil é brasileiro, nos Estados Unidos é estadunidense, embora lá eles se autointitulem simplesmente *"americans"*, "americanos", uma palavra que pode dar um duplo sentido: do país ou do continente? Essa maneira de determinar a nacionalidade é conhecida juridicamente como *jus soli*.

Existe outra maneira de determinar a nacionalidade que tem a ver com a ascendência da pessoa, ou seja, a nacionalidade da qual ela é descendente. Isso é juridicamente chamado de *jus sanguinis*. Em alguns países existem restrições a *jus soli*, não podendo o recém-nascido receber a nacionalidade de onde nasceu. Em casos necessários, é importante consultar as representações diplomáticas do local.

## ■ Etnias

Aqui o assunto fica um pouco complexo para a compreensão de brasileiros. Como bem abordaram diversos autores e, em especial, Gilberto Freyre em suas obras, o Brasil é uma mistura de etnias e por isso não temos a mesma percepção que ocorre nos Estados Unidos ou na Europa, por exemplo.

Com base nas pesquisas e profundas abordagens de Freyre, Portugal já não poderia ser considerado um país de origem étnica homogênea, mesmo antes de ter "descoberto o Brasil". O povo lusitano já habitava as terras onde hoje se situa Portugal e eles não falavam nem português nem o latim, mas o lusitano mesmo, uma língua que ainda não se sabe se era celta ou não. Todavia, a região sofreu mesclas de celtas, germânicos, romano-latinos e, mais tarde, os mouros, que trouxeram o conhecimento filosófico-científico para a Europa.

A partir de então os portugueses e os espanhóis teriam se acostumado a enxergar os povos de pele mais escura com admiração. Na literatura de Freyre, uma princesa moura de pele escura fazia parte das fantasias do povo português.

Juntando isso a outros aspectos culturais e políticos da colonização do Brasil, para encurtar a história, nós, brasileiros, misturamos os biotipos mais que em outras colônias europeias. Muitos europeus se uniram a mulheres de pele mais escura, resultando em um povo de maioria mestiça, o que se intensificou com a imigração de árabes, japoneses, alemães, eslavos, entre muitos outros.

Com essa maioria mestiça ou parda no país, é normal que nossa interpretação de etnia seja diferente daquela que acontece em grande parte dos países. É possível que a importância que damos a isso também não seja a mesma que é dada em muitos países.

Por isso, é recomendável que compreendamos o que é etnia e que ela constantemente prevalece sobre a nacionalidade e, algumas vezes, dificulta nossa compreensão acerca do estrangeiro com o qual estamos nos comunicando.

> **!**
> Etnia ou grupo étnico é uma massa de pessoas que possui traços biológicos e/ou culturais em comum com os quais se identificam.

Existem inúmeros países em que estão presentes diversas etnias. Índia, Espanha, Itália, China, Estados Unidos, Emirados Árabes Unidos, Síria, Rússia, entre outros. Assim, já deu para perceber que grande parte dos países possui diversidade étnica expressiva e, frequentemente, valorizada.

Não podemos achar que todos os indianos são iguais, uma vez que são divididos em diversas línguas e grupos étnicos bem delimitados. Até os alfabetos em que muitas de suas línguas são escritas são diferentes! Situação semelhante acontece na África do Sul e em diversas outras regiões do globo.

No início da minha carreira, lembro-me de estar em um voo da companhia aérea South African e, querendo ser simpático com a comissária que me havia servido, soltei um *ngiyabonga*, "obrigado" em zulu, uma das línguas mais compreendidas na

África do Sul, país de origem da companhia. A resposta foi assertiva e seca: *"That's not my language!"* ("Essa não é minha língua!"). Certamente, a etnia da comissária não era zulu e eu cometi uma gafe. Se houve algum aspecto positivo na ocasião foi que a comissária não era minha cliente e eu não tive grandes perdas. E serviu de lição. Fiz como muitos estrangeiros fazem ao deliberadamente iniciarem uma conversa em espanhol no Brasil.

Nesse caso, é preciso cautela e atenção ao identificar tais grupos e não cometer deslizes. Na dúvida, é melhor estudar as etnias das pessoas com as quais você vai interagir antes do primeiro contato.

Como já deu para perceber, existe uma relação entre etnia e cultura e esta remete a valores, crenças, literatura e diversas outras informações que são transmitidas por meio de suas línguas.

### ■ Nacionalidades e etnias que mais causam dúvidas

> Busque conhecer um pouco mais sobre as etnias em enciclopédias. Procure saber sobre a culinária, a música e outros aspectos culturais relacionados a cada uma delas. Isso ajudará a diferenciá-las.

### ■ Espanhóis

Quem nasce na Espanha é considerado espanhol. No entanto, em relação às etnias, é importante lembrar que existem várias, geralmente ligadas a fatos históricos e línguas. Entre as mais importantes, estão a basca, a catalã, a galega e a asturiana, que se diferenciam dos castelhanos associados a Madrid, capital do país. Algumas pessoas acham que esses povos falam dialetos, e não é bem assim. Cada um deles fala línguas com processos de formação diferente. O basco, por exemplo, já era falado na península ibérica antes da chegada dos romanos, que trouxeram consigo a língua latina, originando variantes como o castelhano, o catalão etc.

> O catalão não é um dialeto espanhol nem uma mistura de línguas latinas. É uma língua latina independente que se assemelha bastante ao occitano, língua falada no sul da França. Juntas, essas duas línguas formariam uma das maiores nações europeias em termos de população e território geográfico, estendendo-se da Espanha à Itália. Da mesma maneira, a região da Galícia fala galego, considerada a língua que deu origem ao português. Enquanto nas grandes cidades o galego tende a ser pronunciado com sotaque castelhano, nas zonas rurais é quase imperceptível a diferença entre o galego e o português falado no norte de Portugal.

■ Indianos

Pensar que os indianos são todos iguais é um grande erro. Existem diversas línguas faladas na Índia. O país usa mais o inglês e o híndi para comunicação inter-regional. Porém, cada região do país possui suas línguas e etnias. Grande parte da população da região norte descende dos povos indo-arianos, enquanto os do sul descendem dos povos dravidianos. Cada uma dessas divisões é subdividida em diversas etnias com línguas e culturas próprias. Há casos em que depois de se viajar por quarenta quilômetros na Índia, até o alfabeto muda. A Índia pode ser comparada com a Europa em termos de diversidade étnica. Muitos ocidentais referem-se aos indianos como hindus, o que não é correto. "Hindu" é o termo utilizado para os indianos que seguem religião homônima. Além dessa religião, existem diversas outras na Índia, como o islamismo e o siquismo.

### ■ Sul-Africanos

Situação semelhante ocorre na África do Sul, em que diversas etnias que falam onze línguas oficialmente reconhecidas formam o país. Entre elas, estão os brancos descendentes de europeus cuja maioria fala uma língua semelhante ao holandês, o *afrikaans*. Algumas das demais etnias são zulu, xhosa e ndebele.

Embora *afrikaans* ou africâner pareça tratar de uma língua africana nativa, é na verdade a língua dos descendentes de europeus que vivem principalmente na África do Sul e na Namíbia. Semelhante ao holandês, também possui influência de outras línguas como o inglês, as línguas locais e até mesmo o português. Na África, o termo "*afrikaans*" é associado às etnias brancas.

### ■ Nigerianos

A Nigéria está entre os países mais populosos do mundo. Também é um país de várias etnias e, entre as mais expressivas, estão os hauçás, os igbos e os iorubás. Os hauçás falam uma língua afro-asiática que tem relação com o egípcio antigo, o hebraico e o árabe, e são majoritariamente muçulmanos. Já os iorubás, por exemplo, falam uma língua diferente, a mesma usada na cultura afro-brasileira, também conhecida como nagô. Eles são em sua maioria cristãos e alguns ainda seguem a antiga tradição iorubá semelhante ao candomblé brasileiro.

### ■ Sírios

O país é formado por povos de diferentes etnias, línguas e religiões. Existem árabes muçulmanos, árabes cristãos e curdos muçulmanos entre outros diversos povos, cada qual com sua cultura própria e diferenciada. Há até cidades onde o aramaico ainda é falado.

## ■ Chineses

A China é o país mais populoso do mundo. A maioria dos chineses é da etnia han e fala o mandarim. Por outro lado, existe uma grande diversidade de povos de línguas aparentadas e outras nada semelhantes ao mandarim. Exemplos são os cantoneses que habitam principalmente a região de Hong Kong e Macau. Esta última foi colonizada por portugueses e ainda é possível encontrar muitas placas e nomes de estabelecimentos em português por lá. Outro grupo interessante são os uigures que habitam o oeste da China. Falam uma língua de família turca e usam uma versão do alfabeto árabe para escrever. Ao norte ainda está a etnia mongol, cuja língua é escrita em alfabeto próprio, diferente daquele usado pelos mongóis da Mongólia que, devido à influência russa, escrevem em alfabeto cirílico. Como é possível notar, a China é bastante diversa.

## ■ Russos

O país mais extenso do mundo não ficaria atrás na questão de diversidade étnica. Com um território maior que o dobro do brasileiro, a Rússia possui diversas etnias. Os russos são muitas vezes classificados entre русские/rúskiye/, "russos eslavos" e россияне/rossiyánye/ (pronuncia-se com o "r" fraco como no espanhol). Esta segunda classificação é válida para todos os cidadãos russos não importando a etnia, embora muitas vezes seja usada para classificar as etnias não eslavas, como turcas e tártaras, entre outras.

### Norte-Africanos

O norte da África, principalmente a região do Magrebe (Marrocos, Argélia e Tunísia), constitui-se de países árabes. Dentro desses países, porém, existem importantes etnias como as berberes. O termo berbere pode estar relacionado com a palavra "bárbaro" o que pode ser ofensiva em alguns casos. É preferível identificar as etnias como amazigh, tuaregues ou cabilas, por exemplo. Também falam línguas diferentes e escrevem em alfabetos variados.

### Africanos

É importante reforçar que a África é um continente territorial com mais de cinquenta países e mais de mil etnias. Ou seja, há uma enorme diversidade de povos distribuídos em um vasto continente. Todo o território da América do Sul equivale a pouco mais de 50% do território africano. Dizer que alguém "é africano" significa pouco ou quase nada para alguma previsibilidade cultural.

### Japoneses

O termo aqui vale mais para nós, brasileiros, que chamamos quase todos os asiáticos de japoneses. É importante atentar para os chineses, os coreanos, os mongóis, os tailandeses, os vietnamitas etc. que, por questões culturais, podem não ficar contentes de ser chamados de japoneses e vice-versa.

### Turcos

Turco é quem nasce na Turquia ou possui etnia turca. Os inúmeros povos árabes que vieram da Síria e do Líbano para o Brasil tinham passaporte otomano, império controlado pela Turquia. Até hoje muitos brasileiros chamam árabes de turcos.

### ■ Alemães

Muito cuidado, nem toda pessoa loura é alemã, muito embora essa atribuição seja um apelido popular usado por brasileiros.

É possível perceber que mesmo dentro de territórios bem demarcados por fronteiras existem etnias. A etnia não é delimitada somente por traços biológicos. Os árabes, por exemplo, possuem várias origens biológicas diferentes, mas o que os une é a língua. Esta pode ser considerada uma das maiores fronteiras que separa etnias e/ou grupos culturais, sendo um tópico central quando falamos de internacionalização.

### ■ 1.2. Cenário político-econômico

Conhecer o cenário político-econômico de cada país é importante para saber qual seu potencial de compra, venda, investimentos etc. Se você pretende vender um produto para um determinado país, precisa saber como está a economia por lá. Do mesmo modo, se você presta serviços para um determinado público estrangeiro, deve vislumbrar quanto ele estaria disposto a pagar.

### ■ História

A história é o conhecimento sobre as ações humanas no mundo. Ela nos ajuda a entender o cenário presente, como o mundo se transformou no que é e a formar as bases culturais da sociedade. A história está no tópico de geografia, pois, para o que nos interessa, focaremos a história das regiões e dos povos que as compõem.

A história relata diversos acontecimentos sociais, a formação de povos, as interações, os sucessos e os insucessos. É extremamente importante para a compreensão do presente e até para fazer algumas conjecturas sobre o futuro.

Quando vamos ao banco pedir um empréstimo, por exemplo, é feita uma análise de risco da qual faz parte o nosso histórico comportamental: se costumamos pagar as contas em dia, se já nos endividamos, quanto temos ganhado etc. A mesma inteligência pode ser usada para compreender fenômenos culturais.

O Brasil, por exemplo, tem uma história diferente da história da China, a começar pelo tempo. Há quinhentos anos, o Brasil começava a se formar como civilização, no conceito ocidental. Já a China possui uma história que remonta muitos séculos atrás, sendo um país milenar. A nossa sensação de tempo, pertencimento, língua e cultura é diferente da chinesa e tem muito a ver com os fatos históricos.

Cada grupo cultural tem sua história, que forma os alicerces para compreender o que ele é hoje.

## ■ 1.2.2. Principais indicadores a serem estudados

### ■ População

O número de habitantes dá uma ideia do tamanho do mercado. Em contrapartida, o nível de pobreza no país reduz o potencial de mercado para a maioria dos produtos.

### ■ Produto Interno Bruto

O Produto Interno Bruto (PIB), em inglês *Gross Domestic Product* (GDP), é a soma de tudo o que foi produzido no país durante um determinado período. Dá uma ideia do tamanho da economia.

Os países são ranqueados economicamente, na maioria das vezes, a partir do PIB. Como há várias maneiras de expressar o PIB, para efeito de comparação entre um país e outro é recomendável utilizar o PIB-PPC (Paridade do Poder de Compra).

## ■ PIB *per capita*

É o PIB dividido pela quantidade populacional do país. Esse número dá uma noção da riqueza no país. Quanto mais alto esse valor, mais indicativo de que a população tende a ser rica. Todavia, existem países em que há concentração de renda, ou seja, grande parte do dinheiro pertence a poucos, isto é, o PIB *per capita* pode ser relativamente alto, mas não significa que a maioria da população tenha renda. Em inglês, o termo é conhecido como GDP *per capita*.

## ■ Crescimento econômico

Indica o crescimento percentual da economia de uma região de um período em relação ao anterior. É comumente apresentado anualmente. Você pode descobrir se o crescimento do país está alto ou baixo comparando-o com a média mundial. Por exemplo, a economia do mundo cresceu 3% em 2017. Abaixo disso, pode ser considerado baixo. É preciso levar em consideração que países desenvolvidos costumam ter crescimentos mais baixos já que têm menos possibilidades de expansão.

## ■ 1.2.3. Índice de Desenvolvimento Humano

O Índice de Desenvolvimento Humano (IDH) leva em consideração fatores como educação, renda e longevidade e serve para indicar o grau de desenvolvimento de um país. Ele varia de 0 a 1.

De 0,80 a 1,0 é considerado muito alto, de 0,7 a 0,79 é considerado alto, de 0,60 a 0,69 médio, e abaixo disso é baixo ou muito baixo.

## ■ Moeda

É importante conhecer o valor da moeda e suas variações em relação ao dólar americano de modo a analisar se a população tem ganhado ou perdido poder de compra. Isso ajuda a estimar a percepção de clientes acerca do valor que você cobra por seus produtos e/ou serviços.

Informações econômicas sobre os países podem ser obtidas no *website* da CIA (em inglês). Busque o termo *"the world fact book"* no mecanismo de busca em: www.cia.gov.

## ■ 1.2.4. Evitando erros comuns

Erros em relação a temas geográficos podem parecer insignificantes, mas cometê-los diante de um cliente potencial pode gerar desconforto e até antipatia.

Sempre estude geografia, porém em uma urgência que antecede um contato com um estrangeiro segue um *checklist*:

**Aspectos geográficos**
Procure refletir e responder às seguintes perguntas com base em evidências e fontes confiáveis:
1. Que grupo de estrangeiros se interessa atualmente por seu negócio? O que o torna interessado?
2. Existiriam outros grupos que poderiam se interessar pelo mesmo motivo?
3. Quais seriam esses grupos?

4. Com qual frequência esses estrangeiros entrariam em contato com você e/ou seu negócio?
5. Quais são os grupos de estrangeiros mais importantes para você e/ou seu negócio e por quais motivos?
6. O que você sabe hoje sobre cada um deles?
7. O que mais precisa saber com base no que você viu até esse ponto sobre os aspectos geográficos?
8. Como, quando e onde você buscará informações sobre os grupos de estrangeiros mais importantes para você?
9. Que ganhos pretende obter com o conhecimento obtido?
10. Quando e como usará os conhecimentos adquiridos?

## ■ 2. INTELIGÊNCIA CULTURAL

Atualmente fala-se muito sobre inteligência cultural e grande parte das literaturas foca a capacidade de uma pessoa lidar com as diferenças culturais entre povos de múltiplos países.

Quando o assunto é internacionalização, aprender sobre como lidar com culturas diferentes está entre os conhecimentos e as habilidades mais importantes para o sucesso profissional ou dos negócios.

Entre os especialistas que mais se destacaram no desenvolvimento do que se sabe sobre inteligência cultural, estão Christopher Earley, David Livermore e Geert Hofstede.

Christopher Earley e David Livermore abordam a inteligência cultural com o foco no desenvolvimento da capacidade do indivíduo de interagir com diferentes culturas enfatizando as nacionais, ou seja, referindo-se às nações, e destacando a atuação organizacional.

A abordagem central está no desenvolvimento da inteligência cultural, que é apresentada por meio da teoria do "quociente cultural", cuja abreviação em inglês é CQ e divide-se em quatro partes: motivação, conhecimento, estratégia e ação.

Outro autor que merece destaque é o holandês Geert Hofstede que, entre outras obras, publicou *Culture's Consequences* e *Cultu-*

*res and Organizations*: Software of the Mind (Consequências das culturas e organizações: *software* da mente, em tradução livre). Hofstede ficou conhecido pelo desenvolvimento do modelo das dimensões culturais.

De acordo com ele, a cultura de todos os países está sujeita a seis dimensões guiadas por seus valores subjacentes: distância de poder, individualismo, orientação para desempenho, controle da incerteza, orientação de longo prazo e hedonismo.

Em relação aos autores brasileiros da mesma área, entre as obras de referência estão *Inteligência cultural para profissionais brasileiros: negócios e trabalho em um mundo sem fronteiras* de Daniel Alves Costa e *Cruzando culturas sem ser atropelado* de Fernando Lanzer, que tornam acessíveis, ao público lusófono, as teorias dos autores já mencionados.

As contribuições desses autores são de extrema valia. Entretanto, acredito que o objetivo da inteligência cultural possa ter ganhos ainda maiores se compreendermos a influência da cultura no nosso psiquismo por meio da da clínica da cultura, também conhecida como semiótica psicanalítica.

## ■ 2.1. O que é cultura

Normalmente, quando queremos saber o significado de uma palavra, a melhor alternativa é procurar seu significado no dicionário. Nesse caso, temos para a palavra "cultura": "Conjunto dos hábitos sociais e religiosos, das manifestações intelectuais e artísticas, que caracteriza uma sociedade: cultura inca; a cultura helenística".[2]

---

2 Disponível em: <https://www.dicio.com.br/cultura/>.

> Podemos entender a cultura como a dimensão do conhecimento que uma sociedade tem sobre si mesma, sobre outras sociedades, sobre o meio material em que vive e sobre a própria existência incluindo as maneiras como esse conhecimento é expresso por uma sociedade, como é o caso de sua arte, religião, esportes e jogos, tecnologia, ciência, política. (SANTOS, 2017, p. 334)

É importante mencionar que a semântica da palavra "cultura" sofreu evolução, sobretudo no século XX, quando a antropologia, a sociologia e as ciências da comunicação começaram a dar outra tratativa ao termo.

Assim, a cultura passou a ser vista como o conjunto de normas de conduta que não precisa estar escrito ou prescrito, mas que forma os valores de uma sociedade. O estudo da cultura, dessa maneira, vai ao encontro do combate a preconceitos, oferecendo base para melhoria das relações entre indivíduos de diferentes identidades culturais, que é o principal objetivo da inteligência cultural.

Atualmente, o próprio estudo da cultura demanda que consideremos a diversidade de nações, etnias, sociedades e outros agrupamentos que estão em contato frequente no contexto de um mundo globalizado e cada vez mais multicultural, seja no ambiente físico seja no eletrônico, como nas redes sociais.

Essa maneira de definir e estudar a cultura tem bastante afinidade com a interpretação psicanalítica de cultura.

## ■ 2.2. Cultura e psicanálise

Cultura e psicologia são duas áreas bastante entrelaçadas. A relação entre elas tem a ver com diversos aspectos da vida do indivíduo, entre eles o da identidade pessoal, que envolve o senso de estética, valores, personalidade, modos de pensar e expressar sentimentos.

Esses aspectos são influenciados pela identidade cultural que o indivíduo adota ativa ou passivamente. O nome, a origem, a nacionalidade, a religião, afiliações a grupos, entre outros, constituem identidades culturais que os indivíduos possuem e que os tornam imersos no que chamamos de cultura.

A vertente psicanalítica da psicologia explora a passividade do indivíduo diante da cultura, que, nesse caso, também é chamada de lei, já que pressupõe um conjunto de valores. Essa passividade se dá devido ao fato de os indivíduos se constituírem em um universo que preexiste a ele.

As pessoas nascem em um ambiente em que uma língua é falada e trazem consigo um conjunto de informações e de valores que vão constituir sua cultura e influenciar sua maneira de agir e de pensar.

Assim, quem nasce e se desenvolve em um país árabe-islâmico, por exemplo, muito provavelmente falará árabe como língua materna e adquirirá os valores culturais islâmicos transmitidos por essa língua. Eles determinarão como essa pessoa apreenderá a realidade dentro e fora de seu universo cultural. O mesmo acontecerá em outras culturas.

Entre os aspectos mais importantes para quem quer se internacionalizar, está a compreensão de que a cultura de um indivíduo se imprime tendo um valor de importância muito alto para ele. Quem quer ter ganhos por meio do relacionamento intercultural necessita de compreensão e de flexibilidade em relação às diferentes percepções de realidade dependendo da cultura.

## ■ 2.3. Estruturas psíquicas: como os indivíduos lidam com a cultura

Se por um lado a cultura, teoricamente, se impõe aos indivíduos, segundo a teoria psicanalítica, durante sua formação psíquica, os indivíduos, por sua vez, têm diferentes formas de lidar com a "castração" que, para simplificar, vou chamar de imposição da lei ou cultura. Essas diferentes maneiras de lidar com a castração geram três estruturas psíquicas:

### ■ Neurótica

É o que a maioria de nós possui, segundo a psicanálise. Entre as características principais da neurose, está o sofrimento devido às imposições culturais e aos inconformismos da vida: envelhecimento, doença, morte etc. Os neuróticos buscam formas de lidar com o sofrimento, tais como: religião, lazer, esportes, drogas e atividades intelectuais. Algumas delas são benéficas e conduzem a um progresso do indivíduo. Outras são prejudiciais e podem destituir o indivíduo da posição de sujeito, como é o caso das drogas.

> Descobriu-se que uma pessoa se torna neurótica porque não pode tolerar a frustração que a sociedade lhe impõe, a serviço de seus ideais culturais, inferindo-se disso que a abolição ou redução dessas exigências resultaria num retorno a possibilidades de felicidade. (FREUD, 1974, p. 57)

O trecho de Freud mostra a relação entre os ideais culturais e a felicidade de uma pessoa. O objetivo de Freud era explorar as causas do sofrimento do ser humano civilizado. O que nos concerne aqui é a relação da cultura e do homem que, na condição neurótica, se torna obediente à cultura, ou seja, é normalmente passivo em relação a ela, mesmo que lhe cause algum sofrimento consciente ou inconscientemente. Por isso, não é incomum que nos questionemos por que alguns grupos culturais alheios ao nosso se comportam de uma maneira que nos parece causar sofrimento.

Ao longo dos anos, viajava por países islâmicos e palestrava no Brasil sobre interculturalidade e negócios com essas culturas. Quase sempre me perguntavam: "Por que as mulheres são obrigadas a usar a burca?". Eu explicava que, na verdade, nunca havia visto uma mulher de burca, já que essa era uma vestimenta mais comum no Afeganistão, um país que eu não havia visitado.

Na maioria dos países árabes, as mulheres usavam o *hijab*, um véu que cobre a cabeça. Outra veste comum nos países da península arábica era a *abaia* que cobre todo o corpo deixando ou não o rosto à mostra. Em muitos países seu uso é opcional e já houve época em que alguns países árabes proibiram as mulheres de cobrirem a cabeça. O uso do que chamamos de véu tem relação com a cultura.

Entretanto, em muitos desses países as mulheres têm tratamentos especiais em lugares públicos. Em algumas regiões, elas não pegam filas e são tratadas com um respeito que beira a sacralidade. Talvez por isso, muitas mulheres muçulmanas me perguntavam: "Por que vocês maltratam suas mulheres no ocidente e as obrigam a agir como homens?". E esse é um dos infinitos exemplos de como alguém de fora pode ver a cultura de outrem como imposição de sofrimento.

Nós nascemos, crescemos e nos adaptamos a costumes e valores que nos parecem óbvios, mas, nas relações interculturais, as diferenças podem causar surpresas.

### ■ Perversa

Essa é a estrutura que finge aceitar os valores e as regras, mas se dá o direito de burlá-las. Existe certa correlação entre perversão e psicopatia ou sociopatia e, nesse caso, é preciso atenção. Como perversão é um assunto complexo em psicanálise, farei aqui um recorte, focando essas correlações com a psicopatia e sociopatia.

Pessoas com essas características frequentemente mentem, trapaceiam, tendem a ser egoístas e não tem empatia para com os outros. Grande parte delas são carismáticas, sedutoras e, justamente por isso, costumam assumir posições de liderança nas empresas, na política e na religião, tendo grande habilidade de manipular os outros.

A inteligência cultural, como ela é habitualmente conhecida, não é muito útil quando estamos falando dessa estrutura psíquica. É preciso aprender a identificá-la, o que não é nada fácil. O ideal é se precaver.

Por mais simpática e carismática que a pessoa se apresente, tenha sempre procedimentos seguros de negociação baseados em contratos e formas de garantias.

Ao relacionar-se com estrangeiros, procure basear-se em procedimentos legais e que forneçam segurança para as duas partes. Evite oferecer produtos ou serviços sem garantia de pagamento, assinar documentos incompletos ou fazer qualquer acordo somente verbal. E lembre-se: mantenha a simpatia e a serenidade.

### ■ Psicótica

Essa é uma estrutura mais complexa, em que o indivíduo faz uma construção alucinatória da realidade. A maioria dos psicóticos tem dificuldade de se integrar socialmente e sua maneira peculiar de lidar com a realidade é frequentemente percebida pelas pessoas.

Para as pessoas que desejam se internacionalizar, é importante atentar às suas próprias "neuroses" e as dos demais nas diferentes culturas. Todavia, merece especial atenção a possibilidade de encontro com personalidades perversas, que podem quebrar contratos, não cumprir promessas, além de causar grandes transtornos nas relações e nos negócios, o que normalmente só se percebe quando elas já estão longe e livres de ser pegas.

Literaturas como o livro *Mentes perigosas: o psicopata mora ao lado*, de Ana Beatriz Barbosa Silva, *Como identificar um psicopata*, de Kerry Daynes e Jessica Fellowes ou *Psicopata corporativo*, de Amalia Sina, podem ser úteis para a identificação de prováveis casos.

## ■ 2.4. A influência da cultura na nossa percepção

Entre as áreas mais importantes de estudo para quem pretende se internacionalizar, diria que está a semiótica. A semiótica estuda tudo o que tem ou pode ter um significado e como o processo de interpretação acontece.

Ou seja, comportamentos, palavras, produtos, embalagens, gestos etc. têm potencialmente diferentes interpretações dependendo da cultura em que se inserirem.

Para entender esse processo, é essencial ter uma noção básica, mesmo que simplificada, da semiótica e como ela se aplica na vida prática de quem quer se internacionalizar.

Imaginemos que você venda doces e crie uma embalagem que tenha a palavra "rapadura" escrita. As pessoas que lerão o termo "rapadura" na embalagem terão uma ideia sobre o produto que está dentro dela.

De forma simples, ao analisar o termo segundo a semiótica, há três partes:

- **Objeto**: a rapadura que está dentro da embalagem.
- **Signo**: como ele é representado; no caso, por meio da palavra "rapadura" e dos elementos gráficos da embalagem. Poderia ser uma foto, um desenho, um cheiro ou qualquer coisa que representasse o objeto real rapadura.

- **Interpretante**: o efeito que ele causa na mente de quem lê; a palavra e a embalagem nos fazem lembrar de uma rapadura.

A semiótica é a ciência que estuda o processo de significação. Tudo o que contém um significado é chamado de signo, que se divide em três partes:
– Objeto: o que o signo aponta ou representa;
– Signo em si: a maneira que o objeto é representado; e
– Interpretante: como o signo será percebido na mente de quem o interpreta.

Assim podemos usar a semiótica para analisar vários signos. Por exemplo, você vai a uma entrevista de emprego para um cargo executivo. Você quer parecer um executivo, então se veste de paletó e gravata para isso.

O objeto que você quer mostrar é um executivo. A roupa em você é o signo que você usa para apresentar o objeto. O interpretante é como o entrevistador interpretará sua roupa. Se ele também achar que um executivo se veste da maneira que você se vestiu, a estratégia foi boa.

Agora imaginemos se fosse uma empresa super moderna e que o conceito de executivo dela é de alguém inovador e que deve se vestir o mais à vontade possível. Teríamos, nesse caso, uma enorme diferença entre o objeto e o interpretante. E é mais ou menos a isso que estamos sujeitos em ambientes internacionais, já que a cultura influencia o interpretante, ou seja, o efeito que produzirá na mente do intérprete, quem interpretará o signo.

Imagine que você esteja em um supermercado e se depare com um produto chamado *"lemper"*. Que tipo de produto será? É de comer? É doce? É salgado? Do que a palavra *"lemper"* nos faz lembrar? Quais as chances de comprarmos o produto só pelo fato de chamar-

-se *"lemper"*? Seriam, provavelmente, os mesmos questionamentos de um estrangeiro ao decidir se vai comprar "rapadura", ou qualquer outro produto brasileiro desconhecido por ele.

*"Lemper"* é uma espécie de bolinho de arroz recheado com frango e faz parte da culinária indonésia. Quando os indonésios falam *"lemper"*, a maioria deles imaginará esse prato em suas mentes da mesma maneira que nós, brasileiros, associamos a palavra, "rapadura" àquele doce feito de cana-de-açúcar.

Esse é um exemplo bastante óbvio de como o significado muda de sociedade para sociedade e isso não está associado apenas à língua. Se pegássemos um pedaço de rapadura e fizéssemos uma exposição visual sem dizer absolutamente nada em um ambiente internacional, é possível que muitas pessoas não tivessem ideia do que seria. Talvez alguém até achasse que seria uma pedra de sabão, quem sabe?

Essa mesma situação acontece com diversos signos que apresentamos a outras culturas como: gestos, sons, sabores, escritas, cores. Isso se deve ao fato de que a cultura interfere no interpretante, ou seja, no efeito que o item apresentado causa na mente de seu interlocutor, no caso, seu cliente potencial.

Portanto, torna-se essencial atentar para as diferenças culturais no momento em que vamos planejar nossa comunicação, nossos gestos, a apresentação de produtos e serviços, cores, sabores etc.

> Todo signo terá um significado por meio do interpretante e este depende da cultura do intérprete, que é, no caso, o estrangeiro com quem você se relacionará. Exemplos de signos que merecerão atenção e poderão estar nas suas atividades internacionais são: expressão verbal, comportamento, comunicação corporal, administração do tempo, vestimentas, embalagens, *websites*, *e-mails*, materiais promocionais e estabelecimento físico.

Assim, cada item que pode ser percebido por seu cliente em potencial engatilhará uma interpretação que causará sensações positivas ou negativas.

## ■ 2.5. Diferenças culturais

As diferenças culturais influenciam como cada indivíduo percebe o universo. Quando falo de universo, incluo e destaco comportamentos, produtos, comunicação, embalagens, *websites*, tom de voz, sabores, material promocional, catálogos, cardápios, menus etc. São tantos os pontos que podem ter diferentes interpretações dependendo da cultura que o termo "universo" é bastante propício para esse caso.

Essa diversidade cultural se impõe não somente nos assuntos internacionais, mas cada vez que interagimos com indivíduos de identidades culturais diferentes. Estudiosos das áreas de antropologia, sociologia, comunicação e mesmo filosofia, que envolve as anteriores, têm abordado a diversidade cultural de maneira cada vez mais dinâmica, já que ela engloba outros aspectos que não só as nacionalidades.

Você pode ser brasileiro ao mesmo tempo que pode ter alinhamentos políticos de esquerda ou de direita, ser evangélico, católico ou umbandista. Também pode ter uma identidade de gênero que influencia seu comportamento, ou seja, sua cultura.

Existem, assim, intersecções de diagramas culturais como no exemplo a seguir.

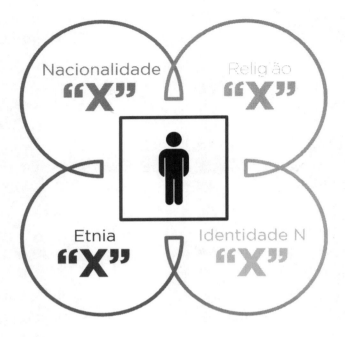

Usei na ilustração o termo "Identidade N" para me referir às diversas possibilidades de grupos e identidades culturais que tendem ao infinito.

Cada um desses diagramas influenciará o modo como o indivíduo se comporta quando está dentro de um grupo, também chamado de massa.

Como nossa ênfase é no aspecto internacional, focaremos culturas que tenham relações com sociedades vinculadas a nacionalidades ou identidades étnicas. Todavia, é importante que se atente para os demais grupos com que cada um de nossos interlocutores podem se identificar.

## ■ 2.6. Quociente cultural

Soon Ang lidera a Divisão de Estratégia, Gestão e Organização da Nanyang Business School e é reconhecida mundialmente quando o assunto é inteligência cultural, devido à sua profunda dedicação a pesquisas no assunto.

Com Van Dyne, Livermore e outros integrantes da sua equipe, dedicou tempo e esforço consideráveis em pesquisas confiáveis e válidas tendo como resultado sua Escala de Inteligência Cultural.

Eles dividiram as capacidades que compõem a chamada inteligência cultural em quatro: motivação, cognição, metacognição e comportamento, estabelecendo, assim, o quociente cultural (CQ).

### ■ 2.6.1. Motivação (CQ Drive)

Diz respeito ao interesse e à confiança com os quais um indivíduo tem de lidar nos contextos culturais diferentes do seu.

A motivação em inteligência cultural, segundo os autores, compreende:
- Intrínseca: ter prazer em ser exposto a outras culturas;
- Extrínseca: obter ganhos a partir da exposição a outras culturas; e
- Autoeficácia: sentir-se seguro em situações culturais diferentes da sua.

### ■ 2.6.2. Cognição (CQ Knowledge)

Indica o conhecimento que o indivíduo tem sobre semelhanças e diferenças entre as culturas. Compreende o mundo dos negócios, relações interpessoais (valores, religião, costumes) e sociolinguística (comunicação verbal e não verbal).

### ■ 2.6.3. Metacognição (CQ Strategy)

É como o indivíduo faz julgamentos em relação à sua maneira de pensar e à dos outros. Essa capacidade tem a ver com a redução de preconceitos criados a partir de um ponto de vista pessoal. Ela pressupõe a consciência sobre seu próprio conhecimento, planejamento para compreensão da cultura alheia e ajustes de seu modo de pensar.

### ■ 2.6.4. Comportamento (CQ Action)

É a capacidade de o indivíduo adaptar seu comportamento tanto verbal quanto não verbal (linguagem corporal) ao relacionamento com culturas diferentes da sua. Exige bastante flexibilidade e habilidade para mudança de gestos, tom de voz e outras maneiras de se expressar que interferem na comunicação.

Linguagem corporal é a maneira com que o nosso corpo se comunica além da linguagem verbal. Ela compreende gestos, expressões faciais, postura, olhar, zona de conforto (distância em que as pessoas se sentem confortáveis para interagir), entre outros comportamentos. Podemos dizer que cada um desses comportamentos são signos e potencialmente interpretados de maneira diferente conforme a cultura do intérprete.

Para uma avaliação geral, as pontuações inferiores ou iguais a 3 indicam que você deve trabalhar melhor no coeficiente em questão. Pontuações iguais ou maiores a 4,5 indicam excelência no coeficiente.

### Avalie seu Coeficiente Cultural

O exercício que segue é baseado em um artigo[1] da Harvard sobre inteligência cultural.

Para cada frase abaixo, atribua a seguinte pontuação conforme o nível de concordância:
1. Discorda totalmente;
2. Discorda;
3. Neutro;
4. Concorda;
5. Concorda totalmente.

Para cada um dos itens divida o valor por quatro.

### Coeficiente Cultural Cognitivo

Antes de interagir com uma pessoa de outra cultura, procuro saber o que ganharia com isso.

_____
Se me deparo com algo inesperado de uma cultura diferente da minha, aproveito a experiência para repensar maneiras de abordar outras culturas no futuro.

_____
Planejo como vou lidar com pessoas de outras culturas antes de encontrá-las.

_____
Quando estou em uma situação intercultural, consigo perceber imediatamente se algo está indo bem ou não.

_____
Soma total dividida por quatro:
_____ (Valor do CQ Cognitivo)

### Coeficiente Cultural Físico

Consigo mudar minha linguagem corporal com facilidade para me adaptar à cultura do meu interlocutor.

_____
Consigo adaptar com facilidade minhas expressões faciais quando estou em contato com pessoas de outras culturas.

---

1 Disponível em: <https://hbr.org/2004/10/cultural-intelligence>.

_____
Consigo mudar a maneira como falo (sotaque, ritmo, altura da voz) para me adequar à cultura do meu interlocutor.

_____
Adapto minhas atitudes às de outras culturas quando necessário.

_____
Soma total dividida por quatro:
_____ (Valor do CQ Físico)

### Coeficiente Cultural Motivacional/Emocional

Tenho segurança de que consigo lidar bem com pessoas de outras culturas.

_____
Tenho certeza de que consigo ser amigável com pessoas cuja cultura seja diferente da minha.

_____
Tenho facilidade para me adaptar a diferentes costumes e estilos de vida.

_____
Acredito que consiga lidar com uma situação cultural que não me seja familiar.

_____
Soma total dividida por quatro:
_____ (Valor do CQ Motivacional/Emocional)

Nas viagens internacionais que realizei, principalmente as mais antigas, pude perceber que muitos homens de negócio não se davam conta da influência cultural no processo de comunicação e interpretação de signos, o que incluía até mesmo seus produtos.

Esse desconhecimento acrescido de outros aspectos podem prejudicar o sucesso de uma negociação, que muitas vezes fica fadada a dar certo somente quando o preço é o mais baixo possível com uma qualidade aceitável. Outros fatores além do preço, como o relacionamento, podem ser grandes aliados quando se quer ter sucesso internacionalmente.

A aquisição de um alto nível de quociente cultural pode ter relação com o quanto você é exposto a outras culturas e se interessa por elas. Como você adquiriu este livro, é provável que seus objetivos tenham relação com a internacionalização. Nesse caso é aconselhável que tenha o maior contato possível com outras culturas, principalmente com aquelas que terão maior impacto positivo nos seus objetivos. Entre as maneiras de se expor a outras culturas, além das viagens internacionais, estão: assistir a filmes, escutar músicas, experimentar a culinária, estudar história, literatura e arte, bem como fazer amizade com pessoas que conhecem ou pertencem ao grupo de seu interesse.

## ■ 2.7. As dimensões culturais

Se por um lado a inteligência cultural se faz importante para o sucesso na internacionalização, entender as culturas dentro de uma vasta diversidade no globo se torna um desafio. Alguns estudiosos se debruçaram sobre a questão com o objetivo de criar mecanismos que facilitassem a absorção dessas informações.

Entre os especialistas que mais se destacaram nesse aspecto da inteligência cultural, está o holandês Geert Hofstede, que desenvolveu a teoria das dimensões culturais.

De acordo com ela, as culturas nacionais, ou seja, das nações, possuem características mensuráveis por meio de seis dimensões: distância do poder, individualismo, orientação para o desempenho, controle de incerteza, orientação a longo prazo e indulgência. Sabendo da pontuação estabelecida pela metodologia de Hofstede, podemos prever o comportamento dos indivíduos de determinada cultura.

Obras literárias nas áreas de semiótica e psicologia social mostram que a cultura tem diversos influenciadores. Como já foi abordado, o indivíduo pode pertencer a diversas massas culturais que não só países. E a cultura dessas certamente irá influenciará o comportamento dos indivíduos.

Não é possível dizer, por exemplo, que todos os norte-americanos são individualistas, ou que todos os tailandeses são coletivistas. Aspectos ligados às demais identidades culturais a que pertencem, além da nacionalidade, podem interferir no comportamento do indivíduo.

Por exemplo, a Nigéria é um dos países mais populosos do mundo com grande diversidade etnolinguística. Entre as mais expressivas estão os hauçás ao norte e os iorubás ao sul. Os hauçás são majoritariamente muçulmanos enquanto os iorubás são em grande parte cristãos e uma minoria ainda pratica sua religião tradicional que contribuiu grandemente para a formação do candomblé no Brasil.

As duas etnias possuem costumes, valores e tradições distintas, que variam mesmo dentro de cada uma delas. Além disso, o processo de formação de países na África e em muitos países do mundo não tem relação com línguas, etnias e religiões. Assim, afirmar que o comportamento de qualquer nigeriano é de determinado modo é arriscado. Ademais, no mundo globalizado existem massas culturais que influenciam indivíduos por intermédio dos meios eletrônicos cujas fronteiras são praticamente inexistentes.

Entretanto, a teoria de Hofstede tem uma valiosa contribuição, que pode ser interpretada como indícios prováveis de comportamento que devem ser estimados cautelosamente como um indicativo primário, ou seja, algo que pressupõe alguma previsibilidade.

Cada dimensão varia de 0 a 100, que define uma escala de intensidade, e não tem nada a ver com superioridade ou inferioridade. Ela demonstra o quanto cada cultura tem de determinada característica.

## ■ 2.7.1. Distância do poder

Essa dimensão tem a ver com o fato de que os membros de uma sociedade não são iguais em termos de poder. Ela expressa a maneira que os indivíduos de cada cultura lidam com essa desigualdade.

Países de baixa pontuação nessa dimensão tendem a ter integrantes independentes, hierarquia para cumprir formalidades, igualdade de direitos, superiores acessíveis, líderes solícitos, valoriza e capacita a gestão. O poder é distribuído entre os membros de sua equipe que esperam ser consultados. A comunicação é direta e participativa e excesso de controle não costuma ser bem visto. Exemplos de países de baixa pontuação nesse item são: países escandinavos, Áustria, Israel, Alemanha, Holanda, Estados Unidos, Canadá e Reino Unido.

Por outro lado, indivíduos de países com alta pontuação geralmente aceitam que todos devem obedecer a uma ordem hierárquica sem necessidade de muita justificativa. A hierarquia é vista como a maneira de organizar as desigualdades existentes e a centralização é bem aceita. Os subordinados normalmente esperam que lhes digam o que fazer. O líder idealizado é muitas vezes um sujeito autocrata e caridoso. Exemplos de países com alta pontuação nessa dimensão são: Arábia Saudita, Emirados Árabes Unidos, Angola, Nigéria, Índia e China.

O Brasil possui uma pontuação de 69, o que significa que tende a respeitar mais a hierarquia. Ao lidar com estrangeiros de baixa pontuação, demonstrar excesso de hierarquia pode gerar má interpretação ou incômodo, já que esperam agilidade e independência. Dar ordens, ser ríspido ou expressivamente autoritário com subordinados na frente de estrangeiros de países que têm baixa pontuação nessa dimensão pode causar mal-estar e uma impressão negativa sobre você ou seu negócio.

## ■ 2.7.2. Individualismo

Essa dimensão é marcada por quanto cada indivíduo de uma sociedade se sente independente de seus membros. Ela mede se as pessoas preferem se sentir como "nós" ou como "eu". As sociedades individualistas são, na maioria das vezes, constituídas de membros mais focados em cuidar de si mesmos e de sua família direta: pai, mãe e filhos, por exemplo.

As sociedades com baixa pontuação nessa dimensão costumam ser coletivistas e seus integrantes sentem-se pertencidos a "grupos" que cuidam deles em troca de lealdade. Essa lealdade ao grupo interno em uma cultura coletivista é primordial e ultrapassa a maioria das outras regras e regulamentações da sociedade, que promove relacionamentos fortes.

Em muitos países de baixa pontuação nessa dimensão, o confronto é desencorajado em prol de acordos pacíficos. O relacionamento pessoal é importante até mesmo para a realização de negócios, que pode levar tempo para ser construído, mas que tende à fidelização. Atitudes cordiais e amistosas são muito valorizadas por membros dessas sociedades. Alguns exemplos de países com baixa pontuação nessa dimensão são: Moçambique, Angola, Tailândia, China e Egito.

No extremo oposto, estão as pessoas de sociedades de alta pontuação nessa dimensão. Elas aprendem desde cedo a pensar por si mesmas, resolverem seus problemas e contribuírem de forma única com a sociedade. A realização pessoal costuma ser valorizada. As pessoas costumam estimar sua individualidade e, costumeiramente, usam o termo "eu" em seus discursos. O individualismo é muitas vezes associado ao consumismo. Entre os países de alta pontuação nessa dimensão estão: Estados Unidos, Reino Unido, Canadá, França, Alemanha e países escandinavos.

O Brasil tem a pontuação de 38 nessa dimensão, o que o coloca em uma cultura mais coletivista que individualista. Nesse caso, ao lidar com estrangeiros de alta pontuação, é importante não levar para o lado pessoal comportamentos que possam ser interpretados como extremamente individualistas ou até egocêntricos. Essa interpretação tem a ver com o ponto de vista da cultura brasileira que tende a ser mais coletivista. É importante sempre respeitar o espaço das culturas mais individualistas.

### ■ 2.7.3. Orientação para o desempenho

Essa dimensão também é chamada de masculinidade devido à associação sígnica entre as suas características ao que se imagina em relação ao masculino. Todavia, para não polemizar, tratarei a dimensão como orientação para o desempenho.

A orientação para o desempenho está associada à medida que calcula como os indivíduos são movidos por competição, realização e sucesso. Há quase sempre a ideia de um vencedor e a premiação material é valorizada.

Uma pontuação baixa nessa dimensão significa que os valores dominantes na sociedade estão voltados para a qualidade de vida e os cuidados mútuos entre os membros. Uma sociedade assim é aquela em que o sucesso é percebido por meio da qualidade de vida. Nesse caso, o mais importante seria gostar do que faz. Entre as regiões de baixa pontuação nessa dimensão estão: os países escandinavos, Holanda, Portugal, Chile e Tailândia.

Por outro lado, as culturas de alta pontuação nessa dimensão tendem a acreditar que se destacar da multidão é admirável e, por isso, pode haver um clima de competição severa em alguns casos. As crianças aprendem desde cedo a competir, seja em esportes seja em jogos. A competição costuma ser vista como fator motivador. Muitos indivíduos podem se tornar *workaholics* devido à sua necessidade de competir e buscar recompensas materiais ou mudança de patamares. Exemplos de países orientados para o desempenho são: Japão, Itália, Suíça, México e Reino Unido.

Os brasileiros possuem uma pontuação de 49, que é mediana. Vale aí, assim, analisar os dois lados: as culturas que valorizam a qualidade de vida e aquelas que são mais focadas em competição.

## ■ 2.7.4. Controle da incerteza

Essa dimensão está entre as mais debatidas e, algumas vezes, causa confusão. Ela tem a ver com a maneira como uma sociedade lida com o fato de que o futuro nunca pode ser conhecido. Essa ambiguidade traz ansiedade e culturas diferentes aprenderam a lidar com esse sentimento de maneiras diferentes como exigência de procedimentos legais formais ou religiosidade.

Entre os países que têm mais baixa pontuação nessa dimensão está a China. Lá a verdade pode ser relativa, embora nos círculos sociais imediatos haja preocupação com o que realmente é verdadeiro. Por outro lado, os chineses tendem a ser flexíveis diante de regras lidando melhor com as ambiguidades. Isso pode ter a ver com a língua chinesa que é cheia de significados ambíguos que podem ser difíceis de serem compreendidos pelos ocidentais. Os chineses são flexíveis e empreendedores.

No contraponto está Portugal, com uma altíssima pontuação, já que os portugueses tendem claramente a evitar incertezas. Países com alta pontuação nessa dimensão costumam possuir códigos rígidos de crença e comportamento e são intolerantes a atitudes e ideias pouco ortodoxas. Culturas assim são favoráveis a regras, mesmo que eventualmente não funcionem. É provável que essas pessoas valorizem a pontualidade. Em contrapartida, a inovação pode ser prejudicada.

Embora tenha uma pontuação menor que a de Portugal, o Brasil possui algumas características semelhantes.

## 2.7.8. Orientação a longo prazo

Essa dimensão demonstra como as sociedades estão ligadas a seu passado enquanto lidam com os desafios do presente e do futuro. Uma sociedade com baixa pontuação nesse aspecto prefere manter as tradições e os valores culturais em momentos de mudanças. Já as sociedades com alta pontuação tendem a adotar uma abordagem mais pragmática: estimulam a economia e os esforços na educação moderna como forma de se preparar para o futuro.

Exemplos de países com baixa pontuação nessa dimensão: Egito, Moçambique, Nigéria, Irã, Marrocos e Angola. No contraponto estão: Emirados Árabes Unidos, Israel, Quênia e Coréia do Sul. O Brasil possui uma pontuação baixo-mediana nessa dimensão.

## 2.7.9. Indulgência ou hedonismo

Essa dimensão é definida como a medida em que as pessoas tentam controlar seus desejos e impulsos, com base na maneira como foram criadas. O controle relativamente fraco pode ser chamado de indulgência e o controle relativamente forte é chamado de restrição. As culturas podem, portanto, ser descritas como indulgentes ou restritas.

Sociedades com baixa pontuação nessa dimensão tendem a restrições e até ao pessimismo. Além disso, em contraste com as sociedades indulgentes, as restritas não enfatizam muito o tempo de lazer e controlam a satisfação de seus desejos. As pessoas com essa orientação têm a percepção de que suas ações são restringidas por normas sociais e acham que se permitir algo está errado. Exemplos de países de culturas restritas: China, Marrocos, Índia, Coreia do Sul, Sérvia e Lituânia.

Já as sociedades com alta pontuação nessa dimensão geralmente demonstram disposição para realizar seus impulsos e desejos com o objetivo de aproveitar a vida e se divertir. Muitas vezes tendem ao otimismo. Além disso, colocam maior grau de importância no tempo de lazer, agem com mais liberdade e gastam dinheiro como desejam. Exemplos de países com alta pontuação: México, Nigéria, Suécia e Angola.

O Brasil também tem um nível relativamente alto de indulgência.

O *website* Hofstede Insights (em inglês) tem informações sobre as dimensões culturais de mais de cem países, sendo possível compará-los por meio de um gráfico on-line. www.hofstede-insights.com

As culturas estão sujeitas a diversos fatores externos que podem fazer com que se modifiquem ao longo do tempo. Com isso, podemos esperar que as pontuações também variem.

### ■ 2.7.10. Peculiaridades de cada cultura

Muitas literaturas publicadas abordam a inteligência intercultural dando ênfase a hábitos e costumes de cada povo. Entretanto, é muito difícil absorver todas as informações culturais de cada cultura, ainda mais quando estas estão sob um processo de mutação constante e sofrendo influências do mundo eletronicamente sem fronteiras e, portanto, globalizado.

Por esse motivo, neste livro foram priorizados aspectos fundamentais para a compreensão da inteligência cultural quando o objetivo é internacionalização.

Assim mesmo, é sempre válida a busca por fontes atuais e confiáveis de informação no universo acadêmico e em publicações de autores reconhecidos ou que citam fontes idôneas.

Começar sua busca por uma enciclopédia on-line já é um caminho menos arriscado que obter informações em qualquer website. Procure ver as observações existentes no conteúdo da enciclopédia e, sempre que possível, busque as fontes originais que foram base para o artigo; elas costumam ficar entre os últimos itens. Câmaras de comércio, representações diplomáticas e outros órgãos oficiais podem fornecer fontes de informações mais seguras, salvo quando o país pesquisado possui um governo autoritário, que possivelmente altera informações a serem divulgadas internacionalmente.

**Conheça seus clientes**

Este exercício ajudará a conhecer melhor seus clientes. Faremos em duas partes:

- ✓ Quais são os países que abrigam os grupos étnicos que mais trariam resultados para seus objetivos? Mencione cinco.
- ✓ Como os seus objetivos comerciais se relacionam com esses países em se tratando de tamanho de mercado?
- ✓ Como o relacionamento com essas culturas pode trazer resultados para você?
- ✓ Como você poderia medir esses resultados?
- ✓ O que faria você rever a lista de cinco países que enumerou?
- ✓ De quanto em quanto tempo você precisa fazer essa revisão?
- ✓ Posicione os cinco países selecionados na tabela que está na página seguinte.

✓ Visite o *website* www.hofstede-insights.com e verifique a pontuação de cada um dos países. Compare com a pontuação do Brasil.

✓ Talvez o seu comportamento não seja idêntico ao da maioria dos brasileiros. Nesse caso, há uma coluna extra para você imaginar uma pontuação em que se enquadraria de 0 a 100.

✓ As duas últimas linhas servirão de comparação. Quando os valores resultantes são negativos, significa que a pontuação do país analisado na dimensão em questão é inferior à do Brasil ou à sua. Quanto mais diferentes forem os valores, provavelmente maior será seu esforço para se adaptar culturalmente.

| | Brasil | Você | País A | País B | País C | País D | País E |
|---|---|---|---|---|---|---|---|
| Distância do poder | | | | | | | |
| Individualismo | | | | | | | |
| Orientação para o desempenho | | | | | | | |
| Controle de incertezas | | | | | | | |
| Orientação a longo prazo | | | | | | | |
| Indulgência ou hedonismo | | | | | | | |
| [Pontuação do Brasil] – [Pontuação de cada País] | | | | | | | |
| [Sua Pontuação] – [Pontuação de cada País] | | | | | | | |

✓ Com base nos resultados, com que culturas você teria maior dificuldade de adaptação?

✓ Essas culturas têm ou teriam um papel importante nos seus objetivos?

✓ É valido investir tempo em estudo e treinamento para adaptação?

✓ Quais serão suas ações para se adaptar a cada uma das culturas importantes para os seus objetivos?

✓ Descubra como você poderia surpreender, positivamente, integrantes dessas culturas. Defina um prazo, uma frequência e os recursos que utilizará para conseguir essa evolução. Anote cada progresso e procure comparar o antes e o depois a partir dos conhecimentos adquiridos.

## ■ 3. LIDANDO COM O "OUTRO": INTELIGÊNCIA EMOCIONAL

A inteligência emocional (IE) se refere à capacidade do indivíduo de identificar e administrar referências e informações emocionais (ROBBINS, 2008, p. 94). Ela é de extrema importância quando estamos operando em um ambiente internacional por diversas razões.

Entre as mais importantes, está a tendência de nos sentirmos mal diante das diferenças culturais. É o que postula Freud.

> É a partir da intensidade dessas diferenças [culturais] que toda cultura reivindica o direito de olhar com desdém para o resto. Desse modo, os ideais culturais se tornam fonte de discórdia e inimizades entre unidades culturais diferentes, tal como se pode constatar claramente no caso das nações. (FREUD, 1974, p. 10)

Caso Freud esteja certo, é possível e até provável que nós, frequentemente, nos sintamos mal somente pelo fato de ser expostos a manifestações culturais diferentes das nossas. A maneira de comer, de se vestir, regras de etiqueta, gestos, postura, costumes que consideramos estranhos e o espectro político podem causar em nós estranheza e, muitas vezes, rejeição. O mesmo pode acontecer com produtos, serviços e profissionais, o que às vezes é potencializado pelo preconceito.

> Preconceito é um conceito prematuro que produz uma opinião que não é baseada em fatos e pode gerar sentimentos hostis. Exemplos de preconceito: acreditar que todo brasileiro é enganador, que todo muçulmano maltrata mulheres ou que todo produto chinês não tem boa qualidade. Muitos preconceitos culturais surgem quando assumimos que um grupo dentro de um universo cultural bem mais amplo representa o comportamento de todo esse universo.

Não foram poucos os relatos negativos que ouvi de conhecidos e até mesmo de amigos que imergiram em culturas diferentes. Não raro, brasileiros que moram ou vivem no norte europeu, por exemplo, reclamam da "frieza" com que os nativos os tratam. Outros que conviveram com culturas mais distantes da nossa, como as de países asiáticos ou africanos, entraram em choque com questões que variam desde a alimentação, as regras, até o nível do que consideram organização.

O conjunto de sentimentos negativos a um ambiente cultural diferente do nosso pode contribuir para a configuração de um quadro que é chamado em inglês de *homesickness*. Já conheci pessoas que passaram por isto até mesmo em viagens de turismo, ou seja, é algo a ser considerado.

*Homesickness* é definido por um conjunto de sensações negativas associadas à saudade de estar em casa ou em ambiente considerado familiar. Pode gerar hostilidade, repulsa, ansiedade e depressão, além de outros sintomas dependendo das características psíquicas de cada indivíduo. Em português, podemos usar o termo "saudades de casa", sendo essa saudade intensa e associada a sofrimento.

Desse modo, percebemos que não estamos imunes a ter preconceitos e reações adversas a ambientes culturais diferentes do nosso. E, para evitar sentimentos negativos, precisamos saber lidar com nossas emoções. Assim sendo, a inteligência cultural, de alguma maneira, pressupõe a inteligência emocional para que haja sucesso nas relações com pessoas de diferentes culturas.

Além de todo o universo cultural "alienígena" para nós, outro complicador é a maneira em que o processo de codificação e decodificação na comunicação é realizado.

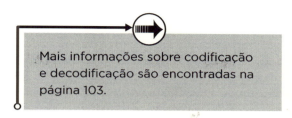

Mais informações sobre codificação e decodificação são encontradas na página 103.

Um indivíduo de determinada cultura pode codificar uma mensagem de maneira distinta em relação a outra, e em alguns casos isso pode gerar algum desconforto.

Por exemplo, o sorriso em algumas culturas, como a israelense, pode ser interpretado como inexperiência, por isso é normalmente evitado por atendentes de lojas e supermercados. Um cliente brasileiro pode entender o comportamento como mau humor, o que causaria uma má impressão e resultaria em um sentimento ruim.

Do mesmo modo, clientes estrangeiros podem se expressar de diferentes maneiras e esperar que você e sua empresa se comuniquem de forma específica. E o processo de decodificação da mensagem poderá causar sentimentos bons ou ruins. Todavia, certamente queremos evitar a segunda hipótese.

Assim, todas as formas de se comunicar que atingirão os sentidos do seu cliente devem ser estudadas: discursos, cores, sabores, formas, cheiros, gestos etc. Isso inclui as pessoas, o ambiente e os produtos ou serviços.

Obviamente, é difícil esperar que memorizemos uma infinidade de costumes sociais para evitar emoções negativas. Muito se aprende com a experiência, mas também várias questões podem ser previstas. O segredo está no foco.

> Procure estudar as culturas dos potenciais clientes para seu negócio e evitar o que pode ser interpretado negativamente por eles. Além disso, verifique se existe algum aspecto na cultura deles que possa ser interpretado negativamente na sua cultura e tente ser compreensivo. Mantenha sua comunicação confortável e polida. Caso seu interlocutor esteja no Brasil, procure orientá-lo de maneira adequada sobre os costumes nacionais.

Ademais, é sempre importante lembrar a aversão quase instintiva que possa existir entre grupos ou massas culturais diferentes e estas envolvem mais que nacionalidades.

> A vantagem que um grupo cultural, comparativamente pequeno, oferece, concedendo a esse instinto um escoadouro sob a forma de hostilidade contra intrusos, não é nada desprezível. É sempre possível unir um considerável número de pessoas no amor, enquanto sobrarem outras pessoas para receberem as manifestações de sua agressividade (FREUD, 1974, p. 72).

Não são poucas as obras que abordam a agressividade despertada por indivíduos identificados como pertencentes a massas diferentes, seja na religião seja na filosofia política ou nas etnias.

Esse é um fenômeno a que estamos sujeitos, ou seja, nosso potencial cliente provavelmente pertence a uma massa cultural distinta da nossa, o que pode despertar em nós, ou nos indivíduos de nosso entorno, algum sentimento de desconforto.

É impossível dissociar cultura de comportamento (além de outras formas de comunicação) e estes, muitas vezes, influenciam nossos sentimentos. A inteligência emocional surge, então, como peça fundamental para o bom funcionamento da inteligência cultural.

Cada cultura demonstra (codifica) e percebe (decodifica) emoções de maneira singular. Estudos demonstram que nem mesmo as expressões faciais são exatamente as mesmas em qualquer parte do mundo (ROBBINS, 2008, p. 92).

Dessa maneira, reconhecer a existência da diversidade cultural é o primeiro passo para dar novos significados a uma grande pluralidade cultural e começar a se preparar para lidar bem com isso por meio da inteligência emocional.

A IE incorpora cinco componentes importantes a que devemos dar uma aplicação internacional: autoconsciência, autogerenciamento, automotivação, empatia e habilidades sociais.

### ■ 3.1. Autoconsciência

Relaciona-se com a capacidade de ter consciência sobre os próprios sentimentos. É importante identificar o que pode lhe causar sentimentos positivos ou negativos e se algum dos seus clientes poderia fazer isso por fatores culturais diferentes dos seus.

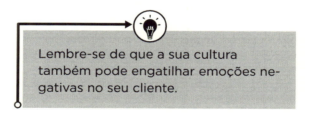

Lembre-se de que a sua cultura também pode engatilhar emoções negativas no seu cliente.

### ■ 3.2. Autogerenciamento

Refere-se à sua capacidade de administrar as próprias emoções. O simples fato de você reconhecer a existência das diferenças culturais e que elas podem produzir comportamentos inesperados é de grande valia para que possa reinterpretá-los e administrar possíveis emoções negativas.

Por diversos motivos, entre eles o viés da confirmação, a dicotomia e a influência dos adventos da chamada "era da pós-verdade", podemos, tendenciosa e inconscientemente, codificar e decodificar signos de maneira que confirmem que o outro é inadequado, errado ou ainda digno de hostilização. Isso faz parte de um impulso humano previsível, todavia prejudicial, tanto para a inteligência cultural quanto para a inteligência emocional, tendo impactos negativos para o objetivo de internacionalizar-se.

Viés cognitivo ou da confirmação ocorre quando as pessoas tomam decisões baseadas, sobretudo, em suas experiências pessoais, ou seja, irracionalmente. Normalmente, são vinculadas à intuição, ao desconhecimento de fatos verídicos ou a uma limitação de pensamentos.

Dicotomia, no aspecto que nos interessa, tem a ver com a classificação das culturas entre um lado e outro. Também é chamada de visão em preto e branco. Entre suas piores implicações para o desenvolvimento das inteligências cultural e emocional está a de que, conforme o ponto de vista de uma pessoa, se algo não é bom deve ser necessariamente ruim; se não está a favor, está contra. Essa visão favorece a segregação dos grupos e a hostilização de quem se comporta ou pensa diferente.

Os estudos da "era da pós-verdade" ainda estão em progresso, uma vez que seria o momento pelo qual estamos passando, especialmente neste início do século XXI. Ela tem a ver com o excesso de informações sobre as quais não se tem controle de veracidade e também tem relação com o viés da confirmação, ou seja, se a informação, mesmo errada, favorece a crença; as pessoas tendem a aceitá-la como verdadeira. Quando esse fenômeno é vinculado ao nosso estranhamento pulsional às pessoas pertencentes a identidades culturais diferentes da nossa, implica um desserviço ao intento do desenvolvimento de ambas inteligências, cultural e emocional, tão necessárias para a internacionalização de pessoas.

### ■ 3.3. Automotivação

A automotivação tem a ver com a capacidade de persistir diante de fracassos e dificuldades. Quando estamos lidando com estrangeiros, existem muitas oportunidades de fracasso, haja vista o desafio da comunicação intercultural. Nesse caso, é essencial que nos apeguemos a fatores que podem nos motivar.

A oportunidade de fazer negócios com estrangeiros, além de muito lucrativa, implica diversos ganhos, como o intelectual, o competitivo e o emocional. Esses aspectos por si podem aguçar a motivação.

### ■ 3.4. Empatia

A empatia é o interesse genuíno pelo próximo, ou seja, é o avesso daquilo que os impulsos agressivos contra os outros nos impelem a fazer. É a capacidade de perceber o que os outros sentem. Essa capacidade é ainda mais evidente quando os outros são estrangeiros e possuem diferentes maneiras de demonstrar esses sentimentos.

## 3.5. Habilidades sociais

Essa capacidade está intimamente ligada à anterior, já que trata de lidar com as emoções das outras pessoas e, mais uma vez, no ambiente internacional há um desafio extra. Podemos ser bastante empáticos ao tratar pessoas de nossa cultura em diversos momentos, como naqueles de tristeza, raiva, insatisfação. Todavia, nem sempre essas maneiras são as mais adequadas a todas as culturas. Portanto, é importante que estudemos as culturas de nossos interlocutores.

Entre as obras que podem ser úteis para compreender melhor a inteligência emocional, estão:
- *Inteligência emocional: a teoria revolucionária que redefine o que é ser inteligente*, de Daniel Goleman (Editora Objetiva);
- *Como fazer amigos e influenciar pessoas*, de Dale Carnegie (Editora Nacional); e
- *O cérebro e a inteligência emocional: novas perspectivas*, de Daniel Goleman (Editora Objetiva).

## 4. LÍNGUAS

Se existe um fator bastante limitante no processo de internacionalização, este é a língua. Se fizermos negócios com qualquer país fora do eixo lusófono[3], é essencial falar outras línguas além

---

3 Os países que compõem o chamado "eixo lusófono" são: Angola, Brasil, Cabo Verde, Galiza, Guiné-Bissau, Macau, Moçambique, Portugal, São Tomé e Príncipe, Timor-Leste, Goa, Damão e Diu.

do português. Mas, antes disso, é importante compreendermos o que, de fato, é a língua.

A língua se refere à utilização de sistemas complexos de comunicação. É por meio dela que nossos pensamentos são estruturados e recebemos as informações culturais da nossa sociedade. Não é em vão que a teoria psicanalítica, que aborda a cultura, tem em seu cerne a língua. "A experiência psicanalítica descobriu no homem o imperativo do verbo e a lei que o formou à sua imagem. " (LACAN, 1995, p. 323)

Um dos teóricos mais famosos depois de Sigmund Freud foi Jacques Lacan, que mostra que a língua preexiste ao indivíduo. Isso quer dizer que, quando nascemos, a língua que falamos já estava lá.

A citação também faz referência à influência da língua no que somos e no que temos como valores ou cultura, em "psicanalês": "lei". Isso quer dizer que cada sociedade possui crenças e costumes que recebe por meio de suas línguas. As crenças, os costumes e as informações que o indivíduo adquire durante a vida tornam-se as bases do seu pensamento e do seu comportamento.

Logicamente, isso não quer dizer que todas as pessoas que falem uma língua se comportam do mesmo modo, mas que a língua, principalmente a nativa, proporcionou-lhes informações e cultura que influenciaram a formação de seu comportamento.

A psicanálise, bem como outras teorias psicológicas, fornecem informações mais detalhadas sobre a relação entre a língua e o psiquismo. O que importa para nós nessa literatura é saber que a língua influencia o pensamento e essa informação é indispensável para o processo de internacionalização.

Falar um idioma diferente do seu nativo lhe permite conhecer outro universo psíquico, acessar diversas literaturas e meios de comunicação além de outras maneiras de pensar e encontrar um amplo leque de soluções para o dia a dia.

> A língua está entre as mais importantes identidades culturais de uma nação. Pronunciar ao menos algumas palavras na língua do seu interlocutor pode demonstrar interesse por ele, o que diminui a sensação de estranheza e propicia o aumento da empatia.

## ■ 4.1. Falar uma língua global

Para internacionalizar-se é imprescindível falar um idioma global. Há diversas línguas faladas em vastas áreas. Todavia, se você quer realmente ser internacional, sua escolha deve incluir a língua atualmente mais falada ao redor do globo: o inglês.

Saber inglês abre um leque bem mais vasto de literaturas, permitindo um conhecimento mais profundo sobre os assuntos além das fronteiras da lusofonia.

A língua inglesa é a mais conhecida e falada. Estima-se que uma a cada cinco pessoas no mundo fale inglês. É considerada a língua da ciência, da aviação, da computação, da diplomacia e do turismo. Conhecer o inglês aumenta suas chances no mercado de trabalho.

Além disso, é a língua oficial de 53 países e da maioria das organizações internacionais. Também é a língua da maior parte dos filmes e seriados produzidos e divulgados internacionalmente além de músicas, livros e outras produções culturais.

Como o inglês é bastante usual, está entre as línguas que podem trazer maior satisfação para o estudante, já que, com o progresso no aprendizado, um novo mundo de conhecimento se apresenta à disposição.

Ao internacionalizar-se, certifique-se de que toda a interação entre seu público-alvo e você, seu negócio e/ou seus produtos estejam, ao menos, em inglês. É uma maneira de aumentar as chances de uma boa comunicação e demonstrar sua preocupação com a internacionalização. Muitas empresas que operam no mercado internacional se esquecem de elaborar versões internacionais de *websites*, catálogos, rótulos etc. Essa atitude pode demonstrar falta de interesse pelo público estrangeiro.

## ■ 4.2. Línguas importantes

Além do inglês, existem diversas línguas interessantes para serem estudadas quando o objetivo é internacionalização. Você pode considerar estudar aquelas com grande número de falantes, importantes para áreas específicas, ou de interesse para uma clientela que você deseja atingir.

Quanto mais línguas você conhecer, mais acesso a ambientes culturais terá. As que possuem um grande número de falantes e consequentemente um mercado enorme são: árabe, chinês, espanhol, francês e russo. No entanto, as línguas mais importantes para se obter algum conhecimento são aquelas dos seus interlocutores ou clientes potenciais.

*Árabe, chinês, espanhol, francês, inglês e russo são as línguas oficiais da Organização das Nações Unidas. São faladas por bilhões de pessoas em uma vasta área territorial.*

## ■ 4.3. Língua como diferencial competitivo

Falar outras línguas não é tarefa fácil. Demanda tempo e dinheiro, mas esse componente pode ser usado de maneira diferente quando o objetivo é relacionar-se bem com clientes de diversas nacionalidades.

Chegar a um país diferente e ouvir alguém pronunciar palavras na sua língua soa como um carinho ou um agrado. Lembremos que a nossa língua é algo íntimo, está em nossos pensamentos. A primeira vez que a ouvimos foi dos nossos pais ou de pessoas muito próximas e queridas. Ela faz parte de nós, de quem somos e como pensamos. Por isso, ouvir nossa própria língua soa tão agradável.

O contrário também é verdadeiro. Imagine estar em um lugar distante em que se fale línguas estranhas para você. A sensação não costuma ser boa para a maioria das pessoas. Se de primeira pode soar uma aventura, também pode resultar em sensação de isolamento e causar tristeza.

Desse modo, aprender pelo menos algumas palavras da língua do seu cliente demonstrará que você se importa com ele. Quebra o gelo e desconstrói por um momento aquela sensação de estranheza. É o início de uma conquista que representa um diferencial. Em poucas horas, você poderá memorizar palavras que o colocarão em uma posição de destaque.

A Think Global costuma publicar em seu *website* ferramentas para auxiliar pessoas a aprenderem o essencial em vários idiomas: www.thinkglobal.com.br

**Você precisa falar mais alguma língua?**

Pensando nas culturas com as quais você vai interagir, existe alguma língua que ainda não fale e que seja importante aprender?
Qual seria a relação custo-benefício para os seus objetivos?
Investir na fluência ou falar alguns termos essenciais surpreenderia seus clientes?

# 5. RELACIONAMENTO COM ESTRANGEIROS

## 5.1. Comunicação internacional

A comunicação e a negociação possuem relação íntima, já que para negociar na maioria das vezes – senão em todas –, é necessário que exista a comunicação. Esta, em si, é uma área bastante abrangente, com significativa interação com a linguística, a sociologia, a antropologia e a filosofia.

Entre os destaques da área está o russo Roman Jakobson e uma de suas obras, *Linguística e comunicação*, em que aborda os aspectos linguísticos da comunicação. Contudo, durante o século XX, foram desenvolvidas diversas teorias sobre isso, voltadas para diferentes finalidades.

Entre elas, está a teoria hipodérmica de Walter Lippmann segundo a qual as mensagens veiculadas por um meio de comunicação de massa atingem todos os indivíduos diretamente e com o mesmo impacto, ou seja, os receptores da informação teriam pouco poder na interpretação. Não é exatamente o que vemos quando estamos pensando em negociação internacional, já que a maneira que nos comunicamos pode ter diferentes interpretações de acordo com as culturas e, consequentemente, reações diversas, como a aceitação ou a rejeição de um produto.

O que nos interessa para esta obra refere-se a um modelo lógico e simplificado que possa ser aplicável aos nossos objetivos no que tange à internacionalização. Assim, partindo das definições mais elementares em comunicação, temos um emissor e um receptor da mensagem.

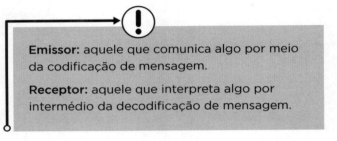

**Emissor:** aquele que comunica algo por meio da codificação de mensagem.

**Receptor:** aquele que interpreta algo por intermédio da decodificação de mensagem.

A codificação pode ser interpretada como a maneira com a qual nos expressamos. Ela pode ser uma palavra, um discurso, um *e-mail*, uma embalagem, um gesto.

A decodificação é como o receptor vai interpretar a codificação do emissor. E é para esse ponto que deve ser voltada a nossa atenção, uma vez que no contexto internacional o processo de decodificação pelo receptor ou intérprete tem influência de sua cultura.

Assim, se nosso objetivo é ter sucesso sem fronteiras, é necessário que criemos codificações que possam ser facilmente decodificadas de modo a produzir o efeito que desejamos.

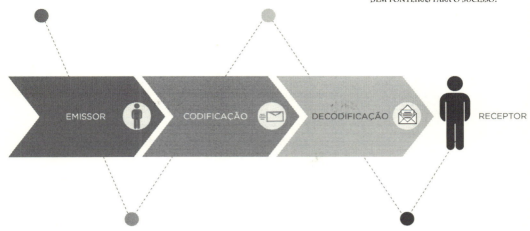

Por exemplo, se eu tenho uma namorada e quero presenteá-la adequadamente em seu aniversário, preciso escolher um objeto ou evento capaz de deixá-la contente. Se, por acaso, ela não gosta de filmes de terror, não vou levá-la para assistir algo como *Annabelle* ou *Invocação do mal*.

É preciso então focar o meu objetivo: fazê-la feliz no dia do seu aniversário. Tenho que pensar no que de fato tem o maior potencial de atingir o meu objetivo. Tenho de saber dos seus gostos, do que necessita, do que lhe causa bem-estar.

No mundo dos negócios não é muito diferente. Quando estamos vendendo algo, pretendemos ter ganhos por meio da relação de compra e venda que é estabelecida. Nela também existem as posições de emissor e receptor bem como os processos de codificação e decodificação da comunicação.

É preciso reforçar que praticamente tudo que é percebido por nossos sentidos faz parte da comunicação, ou seja, da codificação e da decodificação.

Assim, como nos vestimos, falamos, a apresentação de nossos produtos e/ou serviços e os atributos envolvidos na comunicação produzirão um efeito no receptor que, no caso, é nosso cliente internacional.

**Adaptando a mensagem**

✓ Quais são as interfaces de comunicação entre você e/ou seu negócio e seus clientes estrangeiros potenciais?

✓ Procure imaginar todos os signos com que seus interlocutores estrangeiros teriam algum contato e dele fariam uma interpretação. Exemplos: *website*, catálogo, pessoal, estabelecimento, *e-mail*, material promocional, produtos, embalagens.

✓ Posicione cada um deles em uma linha da tabela da página seguinte e, pensando nas culturas que os interpretarão, dê uma nota de 0 a 10 para cada um deles;

✓ Na coluna seguinte, enumere ações necessárias para a adaptação.

✓ Faça uma avaliação pensando na viabilidade e na relação custo-benefício de cada ação, ou seja, quanto esforço cada adaptação demandaria e qual resultado traria. Se a execução for válida, indique na coluna à direita e, por fim, estime um prazo factível para executar cada uma dessas ações.

✓ É possível que você necessite criar um projeto para executar cada adaptação. Esse assunto é melhor detalhado em "Internacionalização de negócios".

| Nota | Ações de melhoria necessárias | Validação | Prazo |
|------|-------------------------------|-----------|-------|
|      | 1-<br>2-<br>3-                 |           |       |
|      | 1-<br>2-<br>3-                 |           |       |
|      | 1-<br>2-<br>3-                 |           |       |
|      | 1-<br>2-<br>3-                 |           |       |
|      | 1-<br>2-<br>3-                 |           |       |
|      | 1-<br>2-<br>3-                 |           |       |
|      | 1-<br>2-<br>3-                 |           |       |
|      | 1-<br>2-<br>3-                 |           |       |
|      | 1-<br>2-<br>3-                 |           |       |
|      | 1-<br>2-<br>3-                 |           |       |

# ■ 5.2. Negociação internacional

Podemos entender negociação como a comunicação argumentativa entre duas ou mais partes para chegar a um acordo mutuamente aceitável. Nesse processo as argumentações levam em consideração dois pontos antagônicos das partes que negociam: o ideal e o falho.

Quando as pessoas entram em um processo de negociação, pretendem chegar muito próximo do ideal, ou seja, o máximo que elas almejam. Ao mesmo tempo, elas tentam se afastar ao máximo do estado falho, ou seja, da perda.

Por exemplo, você está em uma discussão com um grupo de amigos para decidir um lugar aonde ir para se divertir. Você quer muito ir a um bar recém-inaugurado, mas um de seus amigos quer ir a uma churrascaria. As duas opções são obviamente incompatíveis, a não ser que o bar tenha rodízio de carne. Não sendo o caso, outra solução precisa ser encontrada.

Uma das maneiras de solucionar o conflito é identificar as opções que se encontram entre o falho e o ideal, ou seja, o que é aceitável de maneira que os envolvidos se sintam satisfeitos com o resultado da resolução.

Você pode não conseguir ir ao bar recém-inaugurado, mas talvez fosse agradável ir a outro bar em que exista um rodízio de petiscos, incluindo carne. Se seu amigo também estiver satisfeito com a opção, temos, então, um resultado que satisfaz a ambos.

Dessa maneira, temos de evitar os pontos falhos, ou seja, qualquer opção que não seja aceitável para a negociação, e identificar os pontos aceitáveis para todas as partes envolvidas no processo. Se representarmos graficamente, os pontos mutuamente aceitáveis estarão localizados no encontro do que é satisfatório para todas as partes envolvidas na negociação.

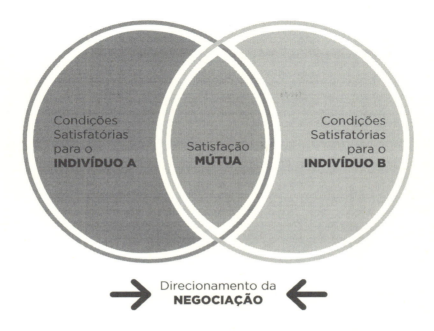

O exemplo fornecido é relativamente simples. Há casos em que as partes envolvidas parecem não ter nenhuma opção satisfatória em comum, o que pode ser real ou estar incompreendido devido a falhas no processo de comunicação. Isso ocorre quando as mensagens não são codificadas ou decodificadas com eficiência.

Um exemplo prático é quando um cliente rejeita um produto ou um serviço porque não compreendeu bem os benefícios dele ou porque os aspectos negativos do que está sendo ofertado lhes parecem maiores que os positivos. Além disto, toda a comunicação envolvida, incluindo o vendedor, o ambiente e até mesmo seu estado de espírito e saúde podem interferir no resultado da negociação.

É importante ter esses pontos em mente, especialmente nas negociações internacionais. Se você está recebendo um cliente estrangeiro que chegou de viagem, deve levar em consideração suas condições físicas e psíquicas e sua receptividade às informações que você fornecerá. Ele deve estar apto a decodificar aquilo que você codificará por meio de palavras, imagens, e tudo o que for possível de ser assimilado pelos sentidos.

Além disso, devemos lembrar que as partes são influenciadas por personalidade, motivações, desejos e obrigações que algumas vezes não são perceptíveis. O que se pode fazer para minimizar aquilo que se encontra oculto no interlocutor é conhecer as variações psíquicas e comportamentais dos indivíduos.

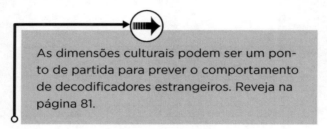

As dimensões culturais podem ser um ponto de partida para prever o comportamento de decodificadores estrangeiros. Reveja na página 81.

Grande parte do comportamento em uma negociação internacional pode ser prevista a partir do conhecimento geral de mundo e da inteligência cultural. Esses aspectos influenciarão na sua capacidade de parecer agradável e prever a condução da negociação em pontos influenciados pela cultura, como:

**Aspectos emocionais**: há culturas que podem levar um *feedback* negativo sobre o produto para o lado pessoal. Já presenciei isso em feiras internacionais nos Estados Unidos. em que norte-americanos costumam criticar produtos expostos e encaram isso como uma consultoria benéfica visando à melhora dos produtos. Alguns brasileiros podem se ofender, entendendo a crítica sobre o produto como algo pessoal;

- **Contratos**: algumas culturas como a alemã, por exemplo, tendem a dar muita importância a cada item que consta de um contrato, enquanto em alguns países da América Latina e da África a palavra costuma ter mais importância;
- **Estratégias comumente adotadas**: em muitas culturas,

como na árabe e na tailandesa, por exemplo, pode ser esperado que os termos sejam flexibilizados e os valores reduzidos. Já em outras, as condições ideais podem ser apresentadas de pronto, e o contrato fechado rapidamente;
- **Processo decisório**: sociedades coletivistas tendem a depender de níveis hierárquicos mais altos para tomar decisões, enquanto sociedades individualistas comumente delegam muitas decisões a níveis hierárquicos mais baixos;
- **Ritmo do processo**: há culturas que são objetivas e rápidas na tomada de decisão. Outras são lentas;
- **Valorização das relações interpessoais**: em algumas sociedades é primordial que se estabeleça um laço de amizade antes dos negócios. Em outras isso é desnecessário.

Tendo seus ideais em mente e os pontos que podem ser satisfatórios para você e seu negócio, é importante conhecer a cultura do seu potencial cliente de modo a minimizar conflitos e aumentar a área de satisfação comum e, quem sabe, aproximá-lo dos seus ideais. Uma das maneiras de se conseguir isso é aumentando o seu quociente cultural.

Informações sobre o processo de venda que complementa o tema "negociação" são encontradas na página 196.

**Chegando a um acordo**
✓ Pensando nas culturas com as quais você negociará, é possível prever algumas exigências de seus interlocutores?
✓ Como você pode antecipar soluções e de que maneira deve comunicá-las?
✓ Procure ao menos três opções com grandes chances de serem aceitas.

# ■ 6. PREPARANDO-SE PARA VIAGENS INTERNACIONAIS

Entre os eventos mais importantes ligados a internacionalização pessoal, estão as viagens internacionais. Desde o momento em que uma pessoa faz uma reserva de passagem até o ingresso efetivo em outro país existe uma série de itens a serem pensados visando o sucesso da viagem e de seus objetivos.

Não foram raras as vezes em que organizei missões internacionais e presenciei situações desagradáveis devido a imprevistos tanto comigo quanto com os demais participantes. Contudo, a experiência nos dá a vantagem de nos antecinparmos a potenciais circunstâncias adversas.

Dessa maneira, julguei importante incluir um tópico sobre esse assunto para que sirva como uma lista de checagem do que é necessário pensar antes de uma viagem para que imprevistos desagradáveis possam ser prevenidos.

## ■ Documentação

A documentação obrigatória para viagens internacionais é o passaporte, salvo quando o Brasil tem acordo com países que aceitam o documento de identidade. Verifique se você tem um passaporte válido e, de preferência, com prazo de validade superior a seis meses antes do seu vencimento. Procure saber que prazo antes do vencimento da validade o país do seu destino aceita para ingresso.

Dependendo do destino, e de eventos extraordinários, o prazo recomendável pode sofrer alterações. Cheque se o país também exige algum documento extra no momento de ingresso e durante a circulação pelo país. Caso não seja imprescindível circular com o passaporte, é recomendável andar apenas com uma cópia e um cartão do hotel e deixar a documentação em local seguro para evitar transtornos decorrentes de eventuais perdas.

O órgão responsável pela emissão de passaportes no Brasil é a Polícia Federal, que publica os passos para obtenção do documento em seu *website*: www.pf.gov.br.

- Visto

Existem países para os quais brasileiros não necessitam de visto, mas para outros sim. É muito importante conhecer o procedimento para obter o visto e o prazo do processo, levando-se em consideração a possibilidade de imprevistos.

Estamos acostumados com procedimentos que não são os mesmos em todas as culturas, ou seja, o que acreditamos ser óbvio e rápido pode ser moroso em outros países, inclusive nas suas representações diplomáticas. Entre em contato com o consulado do país para onde pretende viajar tão logo saiba da viagem e atente para os requisitos exatamente como são solicitados. Se tiver dúvidas, procure saná-las antes de dar início ao processo.

O *website* do Ministério das Relações Exteriores do Brasil (Itamaraty) possui a lista atualizada das representações diplomáticas estrangeiras no Brasil: www.itamaraty.gov.br.

- Questões de saúde

Para ingresso em muitos países é necessário o certificado internacional de vacinação, o que é informado por suas representações diplomáticas. É recomendável perguntar se é necessário. Entre os mais comuns, está o da vacina contra a febre amarela.

113

A vacinação deve ser feita em clínicas ou hospitais autorizados a emitir o certificado internacional de vacinação.

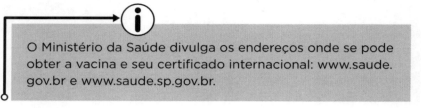

O Ministério da Saúde divulga os endereços onde se pode obter a vacina e seu certificado internacional: www.saude.gov.br e www.saude.sp.gov.br.

Em alguns casos, é recomendável visitar seu médico e checar suas condições de saúde antes da viagem, bem como contratar um seguro de viagem, que inclua o de saúde, antes de viajar. As agências de turismo costumam oferecer esse serviço com valores bastante acessíveis.

Durante a viagem procure alimentar-se e descansar bem. A imersão em culturas diferentes engloba experimentar da gastronomia local. Entretanto, se for alérgico ou tiver intolerância a algum alimento, é importante saber os ingredientes das iguarias que consumirá.

### ■ Agenda

Dependendo da viagem e de sua natureza, é essencial desenvolver uma agenda com folga para imprevistos. Deve-se levar em consideração as questões culturais antes de programá-la.

Em países de maior objetividade, as reuniões tendem a ser mais curtas. Em outros, em que o relacionamento é importante ou em que as decisões costumam ser coletivas, as reuniões normalmente são mais demoradas.

A noção de tempo nos países também pode variar. Além disso, o trânsito pode influenciar muito em como as agendas são desenvolvidas. Se o fuso horário do país que você visitar for muito diferente daquele da cidade onde mora, é recomendável deixar pelo menos um dia da sua agenda livre no momento da chegada para que você possa se adaptar ao fuso. Todavia, adaptação completa, em muitos casos, leva alguns dias.

Para cada visita que pretende fazer, anote os contatos incluindo: data e horário do encontro, endereço completo do local, nome dos interlocutores e meios de contato (telefone, *e-mail*).

### ■ Onde ficar

Confronte o local onde ficará com o seu itinerário bem como as condições de trânsito, segurança e infraestrutura nas redondezas. É sempre bom que esteja em uma localização de fácil acesso, com restaurantes, farmácias e mercados por perto.

Procure obter recomendações ou avaliações da hospedagem antes de fazer as reservas. Também é prudente verificar quais modalidades de pagamento são aceitas e quais serviços estão incluídos.

### ■ Transporte local

Cheque como chegará do aeroporto até o hotel e qual o melhor custo-benefício para se locomover no seu destino.

Em muitos países há transporte público como metrô ou trem nos aeroportos. Já em outros existe pouca infraestrutura e os taxistas podem não ser facilmente identificados e nem ter taxímetro, ou seja, o preço deve ser combinado antes da corrida. Busque ter uma ideia de valores antes da viagem.

Você pode preferir alugar um carro no local. Nesse caso, verifique com o consulado quais documentos são necessários para dirigir no país de destino. Os aeroportos costumam ter guichês de empresas de locação de automóveis.

■ Gastos

Procure fazer uma previsão segura para a sua diária além do hotel e transporte internacional. Considere o transporte interno e alimentação diária e deixe folgas para imprevistos. Há países em que se deve dar gorjetas enquanto em outros não. Busque saber antes.

Atualmente, muitos países, principalmente desenvolvidos, aceitam cartão de crédito, mas ainda existem países ou regiões em que a modalidade de pagamento é em dinheiro e na moeda local. Informar-se onde trocar dinheiro de maneira segura, legal e com boas taxas é recomendável. Confirme se há local seguro para deixar o dinheiro e os documentos de viagem no hotel.

Por último, é sempre bom ter uma quantia de dinheiro local em mãos. Troque assim que chegar ao país. Se a taxa de câmbio não for favorável, opere apenas o suficiente para que possa se manter até que troque o restante na corretora de câmbio recomendada. Se for usar cartão de crédito, lembre-se de que muitos bancos necessitam ser informados da sua viagem com antecedência para que você possa usar o cartão na função internacional.

**Serviço diplomático brasileiro no exterior**

Quando a viagem é para países menos desenvolvidos, distantes ou que passem por momentos turbulentos é recomendável informar sobre sua viagem, incluindo o itinerário, às representações diplomáticas brasileiras que atuam no país de seu destino. Você também pode pedir recomendações a elas.

O *website* do Ministério das Relações Exteriores do Brasil (Itamaraty) possui a lista atualizada das representações diplomáticas brasileiras no exterior: www.itamaraty.gov.br.

### ■ Cópias de documentos

Procure deixar uma cópia impressa e outra eletrônica dos documentos e outras informações importantes como contatos e itinerários. Mantenha sempre originais no hotel para evitar que se extraviem.

### ■ Equipamentos eletrônicos

Verifique se estão em pleno funcionamento e carregados. Procure saber como são as tomadas e a voltagem no local de destino e compre adaptadores e/ou transformadores se necessário.

### ■ Legislação local

Muitos países possuem legislação significativamente diferente do Brasil. Em parte dos países islâmicos, por exemplo, álcool é considerado droga ilegal e as penalidades por transportá-lo podem ser altas. Em muitas regiões dos Estados Unidos, é proibido circular pelas ruas com bebidas alcoólicas.

Há inúmeros aspectos legais que variam de país para país. Consulte as representações diplomáticas para obter informações sobre os principais aspectos legais que podem impactar na sua viagem.

### ■ Bagagens

Embale sua bagagem a ser despachada com segurança para que não se avarie. Leve na bagagem de mão o suficiente para uma emergência caso a bagagem despachada se extravie. Desse modo você terá suprimentos até que sua bagagem seja encontrada.

Atente para os limites de peso e quantidade indicados pelas companhias aéreas, bem como dimensões das bagagens. Evite levar itens de que não necessita. Leve o suficiente e prefira roupas confortáveis, principalmente para o deslocamento.

### ■ Check-in no voo

Se houver a possibilidade de *check-in* on-line, faça-o com antecedência. Muitas companhias aéreas possibilitam o *check-in* cerca de 24 horas antes do voo. Chegue ao aeroporto mais cedo, no horário indicado pela companhia aérea, principalmente se não tiver feito o *check-in* on-line previamente.

### ■ Calma e serenidade

Lembre-se de que visitar outros países é estar em um ambiente cultural que pode ser totalmente diferente do seu. Algumas vezes você pode ser surpreendido positiva ou negativamente. Muito do que parece lógico e óbvio para você pode ser algo estranho em outros países. Não se pode exigir das pessoas que acompanhem seu raciocínio conforme a sua cultura.

**Faça a sua lista de checagem**
Aproveite cada tópico abordado nesta seção e use para fazer sua própria lista de checagem do que precisa fazer antes de viajar. Procure fazer tão logo saiba que fará uma viagem no futuro. Quanto antes melhor. Personalize cada item abordado contendo as especificidades do destino da sua viagem e no seu próprio modo de ser, buscando sempre seu maior conforto e sucesso nos objetivos da viagem.

**CAPÍTULO 4**

# Internacionalização de negócios

Vimos no capítulo anterior tópicos importantes para a internacionalização de pessoas.

Assim, uma das condições para que um negócio se internacionalize é que tenha pessoas com mentalidade e capacitação necessárias para a internacionalização em seu comando. Desse modo, a gestão conseguirá vislumbrar como o processo de internacionalização interage com o planejamento de negócios.

## ■ 1. MONTANDO UM PLANO DE NEGÓCIOS INTERNACIONAL

Antes de focar essencialmente nas especificidades da internacionalização, é importante que tenhamos em mente o que é um plano de negócios, para o que serve e qual o seu conteúdo.

Não existe uma definição exata para o plano de negócios, mas, de acordo com Longenecker (2007, p. 103):

119

Plano de negócios é, em geral, um documento que descreve a ideia básica que fundamenta um empreendimento e as respectivas considerações necessárias para sua abertura.

Todo negócio começa com uma ideia, mas é o plano que dará forma e possibilitará sua concretude. Ele é geralmente desenvolvido com dois focos principais:
- **Sob o ponto de vista do negócio**: desenvolver metas e estratégia para alcançá-las; e
- **Sob o ponto de vista dos *stakeholders* externos (investidores, clientes, fornecedores etc.)**: para desenvolvimento de relacionamento e participação no alcance das metas e objetivos.

Nesse caso, pode ser adaptado para o seu público-alvo com as informações que lhe concernem.

## ■ 1.1. Estrutura básica de um projeto

Há uma fórmula iniciada por Hermágoras de Temnos no século I a.C. chamada em grego de μόρια περιστάσεως (pronuncia-se "mória peristásseos"). São sete elementos de circunstância cunhados em latim:
- ✓ *Quid*: o quê;
- ✓ *Quis*: quem;
- ✓ *Quando*: quando;
- ✓ *Ubi*: onde;
- ✓ *Cur*: por quê;
- ✓ *Quem ad modum*: de que modo, como; e
- ✓ *Quibus adminiculis*: com que recursos ou quanto.

A ideia é que respondendo a essas sete perguntas você tenha um planejamento estruturado para colocar seu desejo ou ideia em prática.

Essa ferramenta usada para estruturar projetos é atualmente conhecida como 5W2H devido à tradução para o inglês e uso das iniciais (5W = *what, who, when, where e why*; 2H = *how* e *how much*). Em português eu tomei a liberdade de chamar de 4Q-POC.

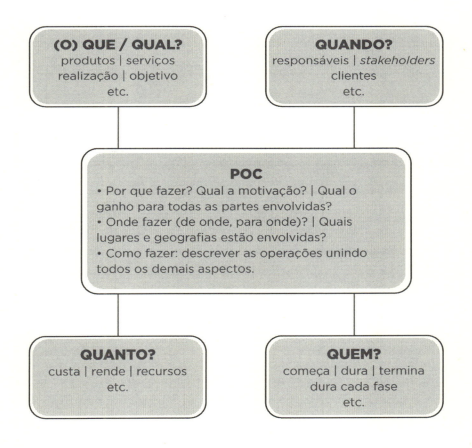

Não importa a nomenclatura, o importante é que, na hora de avaliar um objetivo para transformá-lo em realidade, devemos responder às seguintes perguntas para um planejamento mínimo recomendável.

- 4Q

- **(O) Quê**: qual é a ideia? Aqui nomeamos o que de fato pretendemos fazer. Pode ser "ofertar meus serviços aos estrangeiros", "exportar meus produtos" etc.
- **Quem**: temos de pensar em todos os "quens" que fazem parte do planejamento. Ou seja, quem é o responsável pela ideia? Quem executará? Quem pode impactar direta e indiretamente a estratégia? Para quem será feito? Pode haver vários designados com divisão de tarefas para execução. O importante é nomeá-los;
- **Quando**: tem a ver com todos os prazos envolvidos no processo, dando destaque para quando inicia, quanto tempo leva e quando termina a implantação. É importante ter ideia de quando se deve concluir cada ação necessária para atingir o objetivo final. Por exemplo, se você deseja exportar artesanato, o ideal é fazer um calendário retroativo pensando no dia em que ele deverá estar nas mãos do seu cliente, quantos dias antes o material deverá estar pronto para o embarque, quantos dias antes deverá iniciar a produção e assim por diante;
- **Quanto:** aqui devemos pensar em quanto de recursos financeiros e não financeiros serão necessários para a ideia se realizar e quanto pretendemos ter de retorno. Assim devemos pensar em tudo o que se puder contar para se realizar o projeto. Usando do nosso exemplo, devemos pensar em quantos itens de artesanato deverão ser produzidos, por quantas pessoas, a que custo e quanto vamos cobrar por eles.

## ▪ POC

- **Por quê**: essa pergunta tem a ver com o que motiva a concretização do objetivo. O ideal é pensar no que cada parte envolvida no projeto tem a ganhar com ele, ou seja, por que fazer esse projeto? Pense em uma justificativa real que motive a todos e principalmente quem injetará recursos;
- **Onde**: essa pergunta envolve localizações. Onde está cada parte envolvida no negócio? Ou seja, a produção, o cliente, a distância de modo que se pense na logística necessária;
- **Como**: é a pergunta das operações, ou seja, como você tornará ideia em realidade? Aqui você deve descrever os procedimentos, definir como, quem faz o que, qual valor é colocado em que momento, recurso etc. e, principalmente, como a ideia será colocada em prática e qual seu atrativo diferencial?

Todas as perguntas estão entrelaçadas. Por exemplo, uma localização (onde) tem impacto nos processos (como) e, consequentemente, nos custos (quanto). Dependendo da mão de obra contratada (quem), o custo (quanto) e o tempo (quando) podem variar.

Para facilitar, comece com as respostas que você já tem e vá adaptando as outras perguntas à sua realidade. Por exemplo, se você tiver o local do seu negócio de artesanato, conseguirá responder melhor até quantas pessoas podem trabalhar nele e quanto pode ter de estoque. Se, por outro lado, você tiver um valor para investir, conseguirá imaginar a quantidade de recursos que pode obter, em que lugar pode realizar e assim por diante.

Após responder à formula 4Q-POC, retorne ao início e faça revisões. Muitas das perguntas somente estarão respondidas a partir da terceira revisão. Quanto mais perguntas fizer, mais conseguirá alinhar a realidade. Você não precisa seguir uma sequência de qual pergunta responder primeiro. É preferível que parta daquilo que já tem alguma resposta e depois investigue as demais.

Assim, podemos estabelecer a seguinte relação:
- **(O) Que**: tem relação com o objeto do plano, ou seja, o próprio negócio e de seus produtos e/ou serviços;
- **Quem**: aqui é sempre importante acrescentar preposições, do tipo "de quem" (quem fará o quê, responsáveis por atividades) "para quem" (quem serão os clientes e demais *stakeholders*), "contra quem" (definição de concorrência) e "com quem" (quais aliados tais como fornecedores e parceiros);
- **Quanto**: tem relação com as finanças e quantificação dos recursos (humanos e materiais) necessários para a realização do plano;
- **Quando:** refere-se ao cronograma de execução mencionando cada fase do projeto;
- **Por quê:** tem a ver com a missão, visão e valores do negócio além de provocar uma reflexão acerca da motivação para realizá-lo. É a base para o *branding* do seu negócio, ou seja, a construção da marca que deve ser reflexo dos motivos de sua existência e de sua essência.
- **Onde:** diz respeito à localização física do negócio, logística e área geográfica dos clientes.

Uma vez feitas as reflexões por meio do 4Q-POC, estaremos bastante preparados para traçar um plano de negócios.

**Esboçando seu plano**

Reflita e responda às questões a seguir sempre se baseando em evidências ou exemplos observáveis.

**O quê?**
Pense que tipo de negócio você pretende ter. Se já tem um ou já é parte de um, imagine qual seria o modelo ideal para esse negócio. Cabe pensar aqui também o que será oferecido ao mercado.

**Quem?**
Devemos lembrar que "quem" remete a pessoas. Assim, essa pergunta deve envolver:
- Quem é o responsável pelo plano?
- Quem fará parte do empreendimento e com qual função?
- A quem o plano, seus produtos e serviços serão destinados?
- Quem serão os concorrentes?
- Quem mais o negócio envolve, direta ou indiretamente (comunidade, mídia etc.)?

**Quando?**
A pergunta remete a momentos e prazos. Ou seja, vale pensar em:
- Quando o negócio, ou o novo modelo de negócio, deve começar?
- Qual o prazo para os desenvolvimentos necessários?
- Quando os objetivos serão atingidos?

**Quanto?**
É a pergunta das quantias e dos montantes. As reflexões podem ser:
- Quanto custará meu produto ou serviço?
- Quantas pessoas estarão dispostas a comprá-lo?
- Quanto meus mercados-alvo compram?
- Quantas pessoas estarão envolvidas?
- Quanto gastaremos?
- Quanto ganharemos?

**Por quê?**
Eis uma valiosa pergunta para refletir e planejar. Entre as análises, estão:
- Por que o negócio deve ser montado?

- Por que as pessoas estariam dispostas a serem clientes?
- Por que devemos acreditar que vai dar certo?
- Por que o empreendimento deve existir?

**Onde?**
Essa pergunta pode ter as seguintes ramificações:
- Onde o negócio estará situado?
- Para quais locais vamos vender?
- De onde a onde as mercadorias ou serviços devem ser deslocados?

**Como?**
Aqui devemos pensar na maneira que montaremos e manteremos o negócio. Cabe listar:
- Como o negócio funcionará?
- Como será feita a oferta?
- Como atingiremos o público-alvo?
- Como enfrentaremos a concorrência?
- Como o negócio afetará seus *stakeholders*? (Lembrando que eles são todas as pessoas ou entidades, direta ou indiretamente, afetadas pelo negócio.)

## 1.2. Itens de um plano de negócios

O 4Q-POC pode ser o primeiro passo para se desenvolver um plano formal de negócios, uma vez que cada uma das perguntas que fazemos para elaborar um projeto tem correlação com os itens que o compõe.

O plano de negócios é tema central do planejamento e auxilia na previsão de cenários, minimizando riscos.

**Partes de um plano de negócios padrão**

**Folha de rosto**: deve incluir os nomes dos integrantes da equipe responsável, com seus respectivos endereços e meios de comunicação;

**Índice de conteúdo:** contém a numeração de páginas do plano;

**Sumário ou resumo executivo:** fornece a visão geral do negócio e deve ser elaborado após o término do planejamento;

**Visão e declaração da missão:** é a descrição sucinta da estratégia e da filosofia da empresa para atingir suas metas;

**Descrição geral da empresa:** descreve o tipo de negócio, se já está aberto e qual sua atuação;

**Plano de produtos e/ou serviços:** relaciona os produtos e serviços com seus diferenciais competitivos no mercado, proteções jurídicas, marcas e patentes necessárias;

**Plano de marketing:** deve apresentar e descrever o mercado (os clientes), a concorrência e a estratégia de marketing para enfrentá-lo. Também deve contemplar a pesquisa de mercado, ações de promoção, vendas, atração e fidelização de clientes, entre outras informações relacionadas;

**Plano de gestão:** lista a equipe responsável, sua experiência e competência para a realização do plano;

**Plano operacional:** explica a fabricação, os sistemas usados, as instalações, a mão de obra, as matérias-primas e o processamento da produção, controle de qualidade, controle de estoque e/ou descrição de procedimentos (compras, vendas, atendimentos);e

**Plano financeiro:** descreve as necessidades de financiamento e fontes de recursos financeiros. É importante incluir a projeção de receitas, de custos e de lucros, demonstrativos financeiros dos três últimos períodos e projeções futuras mostrando o R.O.I. (Retorno de Investimentos) e projeções futuras analisando riscos, com cenários realista, otimista e pessimista.

O SEBRAE é uma excelente fonte de informações sobre como planejar um negócio, tendo manuais por segmento de atuação que incluem hotelaria, estabelecimentos comerciais e exportação: www.sebrae.com.br.

**Quando a empresa percebe que está preparada para a internacionalização?**

O nosso entendimento de internacionalização extrapola a simples compra ou venda de produtos em âmbito internacional. Acreditamos que empresa internacionalizada é aquela que está conectada com o mundo; essa interação pode ser por meio da compra, venda de produtos, tecnologia, *know-how* ou simplesmente acompanhar de perto o que acontece em outros países.

A organização pratica esse conceito quando participa de feiras, eventos, cursos e visitas internacionais. O objetivo não é simplesmente vender ou comprar, mas sim se colocar em contato com outras culturas, pessoas, modelos de negócios, tendências e, com isso, ampliar a sua visão de empresário e aplicar esse aprendizado na empresa e nos negócios.

A empresa percebe que está preparada internacionalmente quando os seus gestores procuram essa conexão com o mundo e tem como referência não só as organizações brasileiras, mas todas aquelas que são referência no setor, buscando que seus indicadores estejam entre os melhores do mundo. O termômetro do grau de internacionalização pode ser a exportação, que demonstra que a empresa também é competitiva em outros países, ou quando passa a ser procurada por investidores internacionais para compra ou parceria, evidenciando que sua fama extrapolou fronteiras.

**Gilberto Campião**
Formado em comércio exterior e pós-graduado em marketing com mais de 25 anos de experiência em comércio exterior.
Consultor sênior da Empresa Grupo NFG
www.gruponfg.com.br
campiao@gruponfg.com.br

## ■ 2. INTERNACIONALIZAÇÃO DO PLANO DE NEGÓCIOS

Um plano internacional de negócios deve ter os mesmos tópicos de um plano geral. A diferença agora é que os itens serão preenchidos com foco no ambiente internacional.

A internacionalização é um processo que nos afeta, quer desejemos ou não. Se evitarmos ou postergamos uma atuação com maior interface com estrangeiros, certamente concorrentes o farão, ou *players* internacionais poderão entrar em nosso mercado.

Nesse caso, a melhor forma de tornar-se competitivo é adiantar-se de modo que adquiramos capacitação e desenvolvimento necessários para o crescimento saudável dos negócios.

O tema internacionalização tratado neste livro compreende pessoa (profissional e empreendedor), negócios e produtos, além de um vasto leque de atuações dentro das três possibilidades:

- Prestadores de serviço;
- Comerciantes; e
- Indústrias.

Desse modo, a abordagem aqui será sempre que possível genérica, apontando caminhos específicos, em alguns casos, para maior aprofundamento.

## ■ 3. MISSÃO, VISÃO E VALORES DO NEGÓCIO INTERNACIONAL

Se seu negócio não é exclusivamente internacional, não precisa necessariamente ter uma missão somente pensando em *stakeholders* estrangeiros. Porém, se o objetivo é ter uma atuação internacional, é importante pensar em uma missão que faça sentido tanto para o mercado interno quanto para o externo.

Assim temos:

## ■ 3.1. Missão

Deve contemplar o que o negócio se propõe a fazer e para que público. É aí que entra o público externo. É uma declaração sucinta

**129**

do propósito e das responsabilidades do seu negócio em relação aos seus clientes, mostrando a que veio.

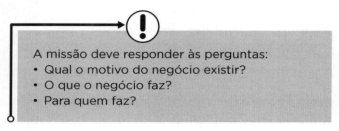

A missão deve responder às perguntas:
- Qual o motivo do negócio existir?
- O que o negócio faz?
- Para quem faz?

## ■ 3.2. Visão

Descreve o que o empresário pretende com o negócio para o futuro. Tem relação com o objetivo ou meta e envolve aspiração e inspiração. Deve se dizer no que o negócio pretende se tornar e por que isto é importante. É algo que deva fazer com os *stakeholders* tenham orgulho de fazer parte do negócio.

A visão descreve de maneira prática, realista e observável o que a empresa quer se tornar, seu direcionamento, seus esforços necessários, o que as pessoas e os recursos envolvidos estão ajudando a construir.

Mantenha-se atento ao que o seu público-alvo internacional considera importante como valor. Muitos consumidores de mercados desenvolvidos, por exemplo, são sensíveis ao tema *"fair trade"* (comércio justo e com práticas sustentáveis), saúde, excelência em serviços e assim por diante. Qualquer que seja o valor, deverá ser incluído na gestão do negócio e no seu planejamento estratégico, já que tem impactos em processos e pode envolver custos.

## ■ 3.3. Valores

São princípios ou crenças que servem de diretriz ou exemplo para as atitudes e os comportamentos das pessoas envolvidas para executar a missão em direção à visão. Ou seja, têm relação com a cultura da empresa. Eles envolvem as pessoas com a missão e a visão, relação mútua, e com o público externo.

Dessa maneira, é importante pensar que os três elementos vão ter conexão e influência do público externo. Por exemplo, se a empresa deseja ser reconhecida por "excelência em atendimento", deve contemplar seu público externo que está habituado com padrões de atendimento de outros países. Será essencial, portanto, estar no nível que o cliente compreenda ser "excelência em atendimento".

E isso terá impacto em todo o negócio, abrangendo: instalações, *website* e, especialmente, pessoal, que deve estar apto a falar línguas estrangeiras e relacionar-se bem com diferentes culturas. É a base para a construção da sua marca ou o que chamamos de *branding*.

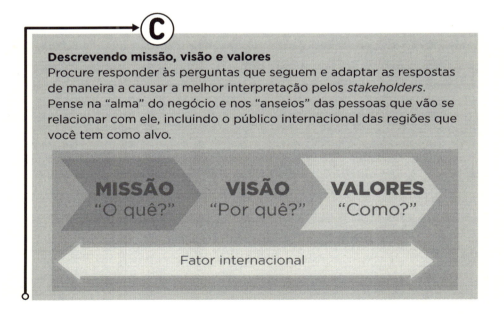

> Antes de escrever a missão, a visão e os valores, verifique como empresas de atuação semelhante à sua fizeram. Use--as como referência, mas evite usar semânticas semelhantes. Foque os alicerces culturais da sua empresa e inclua o envolvimento com o público internacional.

## ■ 4. DESCRIÇÃO DO NEGÓCIO

Esse é o momento de pensar no nome do negócio e tudo o que o envolve como endereço físico, endereço eletrônico, números de telefone, *e-mail*, *website*, data de início das atividades e definir a pessoa de contato.

Mas atenção! Quando estamos falando de internacionalização toda a nomenclatura deve ser pensada de modo que seja compreendida pelo cliente estrangeiro. Por exemplo, se o *e-mail* de contato for exportacao@nomedasuaempresa.com.br ou vendas@nomedasuaempresa.com.br podem não ser tão facilmente compreendidos pelos estrangeiros.

Como a língua mais internacionalmente usada é o inglês, é preferível escolher *e-mails* como export@nomedasuaempresa.com.br ou sales@nomedasuaempresa.com.br.

O mesmo deve ser pensado para marcas e produtos. Palavras curtas com poucos dígrafos são mais facilmente assimiladas globalmente, a não ser que se tenha verba suficiente para reforçar o nome da marca. Palavras com grafias típicas do português podem ter difícil compreensão se não houver um trabalho de *marketing*.

A empresa Leroy Merlin, por exemplo, possui uma pronúncia em português diferente do francês, a língua em que é escrita. A organização preferiu não se envolver na forma que os brasileiros pronunciam a marca, já que não é prioritário para seus negócios.

O açaí, ainda que não seja um produto propriamente, é um termo que tem tido grande reconhecimento em diversos mercados, e embora tenha uma grafia levando o "ç", a comunicação internacional feita em cima da fruta a tornou popular.

Além disso, na descrição também se deve mencionar os objetivos do negócio, com que tipo de serviços e produtos opera, fase de desenvolvimento (implantação, aquisição, expansão), histórico e a forma jurídica de organização (formas de internacionalização).

Nesse momento, é essencial observar a descrição de negócios que atuam no seu segmento e tenham relevância para o seu público-alvo e, como nosso foco é internacional, cabe mencionar na descrição como ela lida, qual é a forma de internacionalização da empresa.

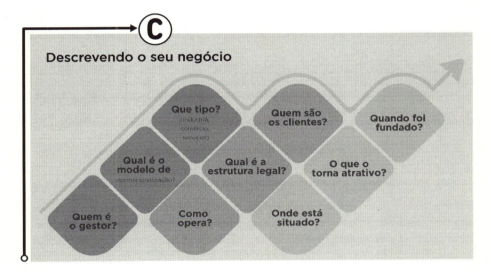

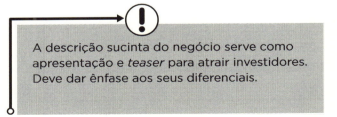

## ■ 5. FORMAS DE INTERNACIONALIZAÇÃO

Existem diversas formas de um negócio se internacionalizar e estas se relacionam com o tipo de negócio (serviços, comércio ou indústria). Entre elas, temos:

### ■ Oferta em território nacional

Essa forma de internacionalização ocorre quando o cliente adquire o produto ou acessa o serviço do estabelecimento situado em território nacional.

Empresas que visem atender o público internacional a partir do território nacional devem estar atentas ao turismo receptivo, incluindo o de negócios e o de lazer. O turismo receptivo é um meio para que as empresas que tenham interface com o cliente em território nacional possam se internacionalizar.

Desse modo, é importante estar sempre atualizado em relação ao fluxo de turistas na região onde está instalado e suas características.

O Ministério do Turismo oferece informações gratuitas sobre o fluxo de turistas no Brasil por estado da federação e nacionalidade dos viajantes: www.dadosefatos.turismo.gov.br.

### ■ Vendas além-fronteiras

Depois da oferta em território nacional, a venda a mercados externos, ou exportação, é tipicamente a maneira mais fácil de se internacionalizar. Muitas empresas que atuam na indústria ou no comércio começam a se internacionalizar dessa forma.

A vantagem é que os negócios evitam as despesas de estabelecer operações em outro país. No entanto, é importante conhecer a distribuição e comercialização de produtos ou oferta de serviços nos mercados internacionais eleitos como alvo.

Isso envolve conhecer sobre o mercado, acordos comerciais, regulamentação, operações e possíveis aspectos peculiares dos mercados em que seu negócio irá atuar. Implica adequar a rotulagem, embalagens e preços para oferta no exterior.

Com relação a promoção e marketing, a empresa deverá planejar como atingir compradores por intermédio de meios como publicidade, feiras internacionais e parcerias locais.

■ Pessoal dedicado às vendas externas

O negócio que pretende vender além-fronteiras deve atentar para as necessidades de adaptação de produtos e serviços aos mercados-alvo, bem como inserir as exportações no seu planejamento estratégico.

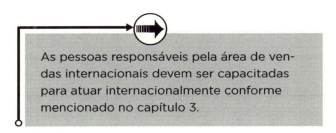

As pessoas responsáveis pela área de vendas internacionais devem ser capacitadas para atuar internacionalmente conforme mencionado no capítulo 3.

O negócio pode criar um departamento de exportação dedicado às vendas externas e suas necessidades devem ser consideradas no planejamento de marketing da empresa (embalagens, desenvolvimento de produtos, estudo de mercado etc.).

A Apex-Brasil possui diversos projetos para desenvolver as exportações, incluindo capacitação e promoção comercial. Muitas vezes as empresas são atendidas por equipes gestoras e conhecedoras do segmento da indústria em que seu negócio se enquadra: www.apexbrasil.com.br.

Maior detalhamento sobre o assunto é abordado no capítulo 5, que trata da internacionalização de produtos e serviços.

■ Representação comercial no exterior

Empresas prestadoras de serviços, comerciantes ou indústrias podem ter representantes no exterior. O ideal é eleger empresas ou profissionais que tenham conhecimento profundo do mercado onde estão localizados e, ao mesmo tempo, afinidade com a missão do negócio. Quanto maior for o alinhamento com o seu plano de negócios, mais chances de sucesso. Por outro lado, o representante pode contribuir ativamente para as adaptações necessárias do plano para maximizar as chances de sucesso no mercado externo.

Dependendo do grau de confiança e envolvimento do representante, grande parte dos tópicos que compõem o plano de negócio deve ser discutida, por exemplo, características do mercado, consumidor, avaliação dos produtos, precificação, análise da concorrência e remuneração.

Muitas empresas se internacionalizam dessa forma e incluem a remuneração comissionada de modo que estimule seu representante a vender mais no mercado em que atua.

> Para ter sucesso na escolha de um parceiro no exterior, é importante atentar para aspectos como: confiança, termos de parceria clara, respeito mútuo, boa relação e conhecimento elevado de seus pontos fortes. Use o máximo do que sabe sobre inteligência cultural e emocional, mantenha contato tão assíduo quanto possível e tenha métodos de avaliar o funcionamento da parceria. O ideal é sempre iniciar dentro de um contrato de experiência.

- Franquia internacional

É algo semelhante a um acordo de licenciamento, e funciona, quase sempre, como o modelo de franquia (*franchising*) praticado no Brasil.

Os franqueadores internacionais normalmente concedem direitos sobre sua propriedade intangível, como tecnologia ou marca, por um período predeterminado e recebe *royalties* em troca. Os franqueadores fornecem um pacote de serviços e produtos para o franqueado que muitas vezes incluem marketing, *know-how* e gestão.

> *Royalty* é um termo em inglês que tem relação semântica com realeza. O que nos interessa aqui é o valor pago pelo direito de usar a marca e seu *know-how* (conhecimento específico e experiência) para atuação.

Deve-se estar atento às especificidades de se abrir um negócio em cada país. As agências de promoção a investimento de cada região costumam ter informações sobre essa operação.

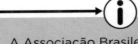

A Associação Brasileira de *Franchising* tem mais informações sobre franquias, além de serviços de apoio à internacionalização: www.abf.com.br.

### ■ *Joint venture*

Uma *joint venture* é uma parceria estratégica contratual entre duas ou mais partes que tenham uma oportunidade de negócio com objetivos em comum. Cada parte contribui com uma parcela dos recursos para a execução do plano, assumindo os riscos mutuamente.

As empresas podem trocar conhecimento acerca dos mercados onde atuam e *know-how* operacional, o que lhes permite aumento da competitividade.

O SEBRAE possui publicações gratuitas sobre o tema Empresa de Participação Comunitária (EPC), que inclui *joint ventures* e outras modalidades de parcerias similares, fornecendo mais detalhes sobre essa forma de internacionalização: www.sebrae.com.br.

### ■ *Foreign assembly* ou montagem internacional

É a exportação de componentes ou peças específicas de um produto. Todas as partes e peças são despachadas pela matriz para a filial, onde é feita a montagem final com o intuito de pagar menos impostos e aumentar as margens praticadas. Essa modalidade pode ser de subsidiária própria internacional ou licenciada de uma empresa local ou multinacional.

## ■ Subsidiária no exterior

Trata-se de ter a presença comercial, financeira e/ou industrial própria no exterior, por meio de instalações físicas, visando atender o mercado local ou internacional. Essa modalidade é o último estágio de internacionalização e de maior nível de expansão e complexidade, sendo necessária forte consolidação da estratégia.

Deve-se ressaltar que a filial não tem apenas função comercial, mas exerce influência sobre toda a cadeia produtiva. Como variante dessa modalidade existe a possibilidade de adotar uma estratégia baseada em aquisições de *players* locais com objetivo de absorver capacidade produtiva, equipe especializada e *know-how* de mercado de modo mais acelerado que a construção de subsidiárias desde o início.

Por outro lado, deve-se gerenciar a mudança e os conflitos que as aquisições (ou fusões) ocasionam, além de se preocupar com a internacionalização da cultura organizacional por parte da empresa recém-adquirida.

Vantagens: entrada rápida e baixo risco.
Desvantagens: baixo controle, baixo conhecimento local e impacto ambiental negativo do transporte internacional.

O *doing business* é um serviço do Banco Mundial que mede, analisa e compara as regulamentações aplicáveis às empresas e o seu cumprimento em diversos países. Ele mede a facilidade de desenvolver negócios em cada mercado e analisa seus aspectos. O *website* possui versão em português: portugues.doingbusiness.org

As formas de internacionalização apresentadas anteriormente são as mais comuns e estão em ordem crescente de envolvimento com o ambiente externo considerando pessoas, negócios, produtos e serviços bem como as instalações físicas.

Todavia, cada forma de se internacionalizar um negócio deve ser analisada conforme sua missão, seus objetivos bem como sua capacitação. É sempre recomendável a reflexão acerca das vantagens e desvantagens.

### ■ 6. PADRÕES INTERNACIONAIS

O negócio como um todo deve ser pensado tendo em vista padrões internacionais. Logicamente, muitos estrangeiros podem buscar por produtos, serviços e ambientes que remetam à cultura brasileira, principalmente em segmentos ligados ao turismo. Nesse caso, quando falamos de padrões internacionais, nos referimos à qualidade e aos padrões que o público-alvo estrangeiro busca.

É possível que seu negócio seja uma loja ou um restaurante, e você deseja manter a simplicidade e baixos investimentos em instalações. Isso não é um impeditivo para considerar adaptações simples que podem fazer a diferença para conquistar a clientela do exterior.

Posso destacar alguns aspectos:

## 6.1. Ambiente e materiais físicos

É importante verificar com que parte das instalações físicas do seu negócio o cliente internacional interagirá e atentar para qual percepção terá.

Ao se internacionalizar, sua empresa deve adaptar itens como: sinalização e quadros com informações, cardápios, atendimento pessoal e telefônico, catálogos, materiais promocionais e embalagens.

As embalagens para exportação demandam atenção. Mais informações podem ser encontradas na página 154.

Além da sinalização adequada é recomendável realizar uma pesquisa na concorrência para saber qual o padrão de ambientes agrada mais aos estrangeiros. Esse aspecto tem maior relevância ainda se estamos falando de negócios em que o próprio ambiente faça parte do produto e/ou serviço. Pousadas, restaurantes e lojas de *souvenirs* devem prestar especial atenção nisso.

Em muitos segmentos de produtos e serviços existem *websites* especializados de busca. Procure verificar como as empresas que atuam no seu mercado estão se apresentando. Já que estamos tratando de internacionalização, tente não limitar-se à sua área de atuação.
Entre os *websites* que podem ser visitados:
✓ Hotelaria: www.decolar.com, www.trivago.com, www.booking.com.
✓ Restaurantes e lojas: www.tripadvisor.com.br.
✓ Exportadores: http://findexporters.com.
✓ Produtos: www.alibaba.com.

Eles podem ser um ponto de partida. É mais significativo identificar *players* no mesmo porte atuando no mesmo mercado.

Empresas que exportam produtos podem ter exigências de certificados que garantam que suas operações e produtos atendam a padrões preestabelecidos. Essas exigências podem ser definidas pela legislação do país para o qual sua empresa exporta ou mesmo ser uma decisão do importador.

Cheque com o importador ou o SECOM do Brasil responsável pelo país para onde sua empresa deseja exportar.

> **(!)**
>
> As representações diplomáticas brasileiras possuem setores comerciais também conhecidos como SECOM. Estes podem fornecer diversas informações a exportadores brasileiros, incluindo as certificações necessárias. Os contatos atualizados das representações diplomáticas brasileiras podem ser obtidos no *website* do Ministério das Relações Exteriores: www.itamaraty.gov.br.

## ■ 6.2. Ambientes eletrônicos

O ambiente eletrônico não se limita às fronteiras dos países, sendo facilmente visitado a partir de praticamente qualquer parte do mundo. Ninguém precisará pegar um avião ou obter um visto para isso. Dessa maneira, as primeiras impressões sobre sua empresa, seus produtos e serviços, muitas vezes acontecem nos meios eletrônicos.

Qualquer negócio que deseja internacionalizar-se deve pensar em uma versão internacional de seu *website*. Nele devem constar todas as informações de que seu cliente necessita para ser estimulado a entrar em contato e solicitar mais dados ou até, dependendo do tipo de negócio, fazer uma compra.

Atente para que o *website* não tenha *links* ou informações em português. É comum as empresas desenvolverem *websites* apenas traduzindo o conteúdo da versão em português, o que pode funcionar até certo ponto para empresas no segmento de turismo, como hotéis, pousadas e restaurantes. Outro erro comum são textos não adaptados. Não convém expor produtos que não sejam destinados à exportação.

Algumas vezes a empresa não tem recursos para desenvolver uma versão internacional do seu website. Nesse caso, apesar de não ser o ideal, é preferível que tenha ao menos um link na sua página inicial direcionando a alguma rede social ou blog que contenha todas as informações necessárias para que seu potencial cliente conheça e se interesse por seus produtos e/ou serviços.

**Planejando um *website* internacional**

Em geral, um *website* ou plataforma eletrônica internacional competitiva deve conter:
- ✓ Foco no público-alvo;
- ✓ Destaque nos diferenciais em relação à concorrência (não é necessário mencioná-la);
- ✓ Descrição efetiva do negócio;
- ✓ Convite a experimentar o produto (cabem aqui campanhas promocionais);
- ✓ Fácil acesso às informações em língua estrangeira;
- ✓ Sobre nós, "*about us*": apresente a empresa e o que ela faz, sua missão e seus valores, incluindo o público-alvo. Demonstrar idoneidade é importante;
- ✓ Programe palavras-chave adequadas para que o seu *website* seja facilmente localizado;
- ✓ Mantenha as informações atualizadas; e
- ✓ Sempre que possível, use imagens!

## ■ E-mails

Além de ter pessoas capacitadas a se comunicar e escrever bem em língua estrangeira, de modo que cause uma boa impressão, o próprio endereço eletrônico com as informações que constam da assinatura do *e-mail* deve ser compreensível ao público estrangeiro. Use palavras antes do "@" que sejam de fácil compreensão ou pronúncia. Telefones e informações de contato devem ser facilmente identificados. A abreviatura "Tel." pode ser usada, ou um ícone de telefone.

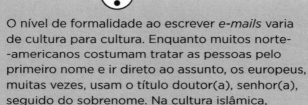

O nível de formalidade ao escrever *e-mails* varia de cultura para cultura. Enquanto muitos norte-americanos costumam tratar as pessoas pelo primeiro nome e ir direto ao assunto, os europeus, muitas vezes, usam o título doutor(a), senhor(a), seguido do sobrenome. Na cultura islâmica, é comum que os cumprimentos comecem com a invocação de bênçãos e paz.

## ■ 6.3. Inovação e tecnologia

O mundo tem passado, e tudo indica que continuará passando, por momentos de mudanças aceleradas e, entre as principais causas disso, está a tecnologia e, nela, a inteligência artificial.

Falar de inteligência artificial parece algo distante e, algumas vezes, nos remete a produções cinematográficas de ficção científica. Entretanto, já interagimos com a inteligência artificial em muitos casos, a exemplo do aplicativo Waze, que nos auxilia a identificar o melhor trajeto para ir de um ponto a outro. Diversas outras ferramentas de inteligência artificial estão surgindo e tudo indica que vieram para ficar.

Para uma empresa que deseja se internacionalizar, isso pode ser um problema ou uma oportunidade. Será um problema se seu negócio não investir em tecnologia nem tiver interesse em fazê-lo. Caso contrário, incentivar inovação e acesso a tecnologias pode trazer enormes vantagens e redução de custos.

Promova um comitê de inovação com *brainstorming*. Proponha um tema com antecedência e agende uma data. Sugira que os participantes reflitam e pesquisem sobre o assunto. Organize a reunião de modo que haja tempo justo e oportunidades para todos os participantes falarem. A área de tecnologia da informação pode ser o ponto focal da reunião e deve absorver o máximo de sugestões, sem rejeitar nenhuma em um primeiro momento. O pós-reunião deve compilar e analisar metodicamente a viabilidade e a efetividade das ideias apresentadas. Ademais, as melhores ideias podem partir de onde menos se imagina!

Cada participante de um comitê de inovação pode contribuir melhor tendo:
- ✓ Contatos com pessoas de diversos grupos culturais;
- ✓ Motivação para buscar informações e conversar sobre o tema no dia a dia;
- ✓ Participação de eventos na área de inovação e tecnologia;
- ✓ Clareza e, evitando preconceitos;
- ✓ Tolerância à rejeição de suas ideias. Muitas ideias aplicáveis podem surgir depois de um grande ciclo de rejeições; e
- ✓ Incentivo e recompensa por sua contribuição.

A tecnologia pode auxiliar o negócio em vários aspectos, como ter maior visibilidade, redução de custos e solucionar problemas.

## ■ 7. PLANEJAMENTO DE MARKETING PARA NEGÓCIOS INTERNACIONAIS

O planejamento de marketing está no cerne do planejamento geral da empresa. É ele que vai interagir com a área financeira visando a resultados positivos.

De maneira geral, para iniciarmos um planejamento de marketing devemos focar no *"marketing mix"* devidamente adaptado ao dinâmico cenário internacional.

A definição do *marketing mix* da empresa é feito a partir do estudo dos produtos (ou serviços), praça, preço e promoção, que veremos a seguir.

## ■ 7.1. Produtos e serviços internacionais

Os produtos e serviços desenvolvidos para atrair um público estrangeiro devem levar em consideração tanto demandas existentes como futuras. Nesse caso, podem ser demandas latentes ou mesmo demandas criadas.

O desenvolvimento de produtos e serviços internacionais marca a primeira fase do ciclo de vida de produtos em marketing.

Ciclo de vida de um produto

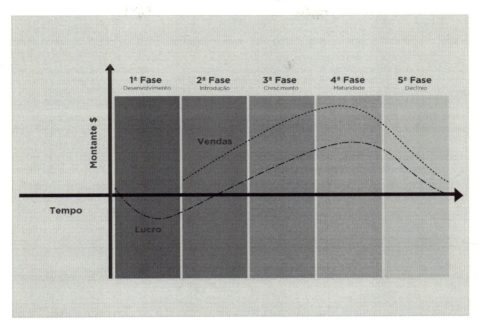

- **Primeira fase – Desenvolvimento**: é o processo de criar produtos e serviços para o mercado, realizar pesquisas de mercado, descobrir clientes potenciais, saber qual é a demanda existente e como se relacionar com o público-alvo de modo a sensibilizá-lo. Essa é a fase do ciclo de vida de um produto que costuma ter mais interface com o plano de negócios de uma empresa, já que é justamente quando se descreve os produtos;
- **Segunda fase – Introdução**: a introdução de produtos ao mercado-alvo internacional depende, na maioria das vezes, de ações promocionais somadas a esforços de vendas. É o que chamamos de ações de promoção comercial internacional. Tais ações também devem fazer parte do planejamento de internacionalização;

- **Terceira fase – Crescimento**: aqui os frutos dos investimentos começam a ser mais expressivos. No entanto, campanhas e ações de promoção comercial de manutenção devem ser mantidas;
- **Quarta fase – Maturidade**: costuma ser a fase ideal para a negociação do produto e, por isso, deve ser a mais duradoura. Nesse momento, o *market share* inclina-se à estabilidade, ou seja, a parcela da clientela do seu negócio em relação aos seus concorrentes tende a não ter mudanças consideráveis. Essa fase marca o fim do crescimento, a estabilidade e o início do declínio das vendas. Assim, para que o tempo de estabilidade no ponto de maior volume de vendas seja mantido, aqui também as ações de promoção comercial com foco em manutenção devem continuar;
- **Quinta fase – Declínio**: é o momento em que as ações de promoção para o produto ou serviço em questão passam a ter custos mais onerosos. Outro sinal dessa fase é que os produtos similares da concorrência provavelmente passam pelo mesmo processo. O mercado começa a exigir novidades, e é o momento de oferecer o que as tendências identificadas em pesquisas de mercado indicam, ou seja, nos primeiros sinais de declínio concreto de um determinado produto ou serviço, outro devidamente adaptado já deve ser introduzido para atingir volume expressivo de vendas a fim de que um novo ciclo saudável se mantenha, garantindo bom êxito ao negócio. Assim, o planejamento, a inovação e o desenvolvimento de novos produtos devem ter continuidade em consonância com o planejamento financeiro da empresa.

O tempo e a quantificação do montante em cada fase dependem do negócio, do produto, do serviço e também do mercado-alvo. Todavia, as curvas estimadas de lucro e venda devem se comportar de maneira semelhante, mas não idêntica, à apresentada no gráfico.

As curvas devem fazer referência a um produto ou um serviço específico do negócio e não ao negócio como um todo. Assim sendo, é importante monitorar as fases em que o produto se encontra para que se possa planejar o melhor momento para desenvolver novos produtos e/ou serviços ou reconfigurá-los para que entrem em um novo ciclo de fases e proporcionem estabilidade financeira ao negócio.

A primeira fase é crucial para o plano de negócios internacional. É nela em que se desenvolvem pesquisas de mercado e o planejamento para decidir acerca da viabilidade de oferta de um produto ou serviço aos estrangeiros.

Se seu negócio é um estabelecimento comercial ou de serviços em território nacional, como um restaurante, uma pousada ou um bar, por exemplo, é importante obter informações com evidências em fontes confiáveis ou, em alguns casos, por meio da própria observação *in loco*.

Os esforços de adaptação podem variar conforme o produto ou o serviço. Por exemplo, um negócio de suco de frutas em uma região de grande frequência de estrangeiros. Antes de tudo, o negócio deve chamar a atenção desse público. Para tal, a sinalização externa deve estar condizente com ele. O estabelecimento precisa ser encontrado em ferramentas eletrônicas com informações em inglês como *"Brazilian Typical Fruits"*, *"Unique Brazilian Flavors"* ou qualquer chamativo para a potencial clientela que represente fielmente o negócio.

Você precisa ter, no mínimo, um atendente que fale inglês e que saiba sobre culturas estrangeiras. Assim, apresentará os produtos de maneira adequada e agradável ao público-alvo.

A equipe que lida diretamente com o público estrangeiro deve ser capacitada internacionalmente. Esse assunto foi abordado no capítulo 3.

Sinalizações internas, cardápios e qualquer material escrito ou sonoro devem ter traduções para o inglês e/ou língua dos clientes estrangeiros. Podemos ainda pensar nas vantagens que a fruta típica brasileira possui, como nutrientes e seus efeitos.

Se o público-alvo é o turista, é provável que busque experiências brasileiras. Música adequada e decoração podem fazer a diferença. Os atendentes devem estar aptos a responder perguntas sobre as músicas que tocam e elementos decorativos que fazem parte das instalações. Se for uma imagem da cultura brasileira ou um personagem histórico, devem saber sua história e narrá-la com brevidade ao cliente. A informação deve ser transmitida em uma frase. Estender a conversa somente se o cliente demonstrar interesse. Se for grande o interesse, o ideal é indicar locais onde se pode obter mais informações.

O açaí é uma fruta bastante conhecida pelo mundo afora. Possui grandes propriedades nutritivas e até uma lenda amazônica relacionada a ela. Esse tipo de informação pode agradar estrangeiros interessados em cultura e saudabilidade.

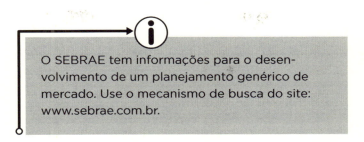

O SEBRAE tem informações para o desenvolvimento de um planejamento genérico de mercado. Use o mecanismo de busca do site: www.sebrae.com.br.

Existem diversas estratégias para diferenciação. Entre elas, as mais clássicas e genéricas:

- Liderança de custo

O foco da empresa é a redução de custos, o que pode permitir maior lucratividade e/ou vantagem em relação à concorrência. Todavia, é importante estar atento a fatores internacionais, como a variação cambial, impostos e taxas internacionais e outros fatores que podem influenciar no preço e na demanda. Usar somente o baixo custo como estratégia pode deixar sua empresa vulnerável à substituição por produtos e serviços da concorrência.

- Liderança de produtos

O foco aqui é o desenvolvimento de diferenciais percebidos no produto, conforme já vimos anteriormente. Investimento em inovação e marketing são importantes para que seu público-alvo reconheça que seus produtos ou serviços são realmente diferenciados. Ainda assim, se seus produtos são de demanda elástica, haverá considerável influência dos preços nas vendas.

- Liderança de relacionamento

Essa estratégia exige da sua empresa um bom relacionamento com os clientes. Nesse caso é importante atender a nichos específicos de mercado, incluindo as especificidades de cada cultura e suas necessidades. Procure descobrir que aspecto do relacionamento valoriza mais o seu produto e/ou serviço, como: customização, serviços agregados, pós-venda, assistência técnica, pessoalidade etc.

- Liderança de efeito de rede

Essa estratégia é usada a partir da reação que alguns clientes de seus produtos ou serviços têm em relação ao valor destes para outros utilizadores. Ou seja, quanto mais produtos comprados, maior tende a ser o valor percebido.

As estratégias podem ser utilizadas mutuamente, não sendo necessário escolher somente uma.

## 7.2. Especificações legais dos produtos

Fique atento às especificações legais para que os produtos ingressem nos mercados de destino. Cada país possui órgãos competentes que regulamentam as especificações necessárias para que produtos possam ser consumidos ou utilizados em seu território.

A legislação ou especificações podem abranger:
- **Materiais utilizados**: observância das exigências legais referentes à saúde e à segurança;
- **Desempenho**: condições específicas exigidas ou percebidas pelo mercado, como facilidade de manutenção e durabilidade; e
- **Especificações técnicas**: dimensões, validade, composição etc. As especificações técnicas podem ser requeridas pelo importador ou pela legislação do país de destino do produto.

Muitas dessas especificações são conhecidas como medidas não tarifárias, ou barreiras não tarifárias, já que não se trata de impostos ou taxas que são aplicados nos produtos importados por cada país, mas sim exigências técnicas.

Um bom ponto de partida para conhecer tais exigências são as pesquisas do International Trade Center.

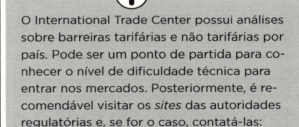

O International Trade Center possui análises sobre barreiras tarifárias e não tarifárias por país. Pode ser um ponto de partida para conhecer o nível de dificuldade técnica para entrar nos mercados. Posteriormente, é recomendável visitar os *sites* das autoridades regulatórias e, se for o caso, contatá-las: ntmsurvey.intracen.org.

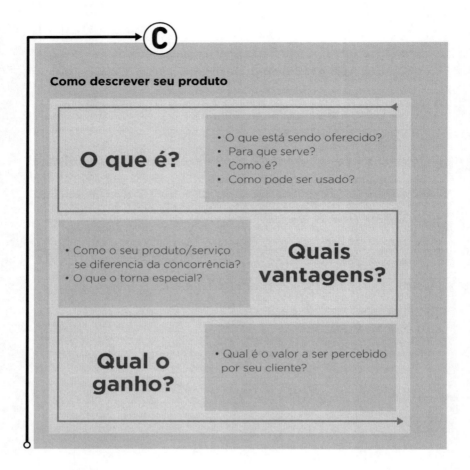

## 7.3. Embalagens

As embalagens de produtos, além de terem a função de envolver e proteger, devem comunicar conforme a estratégia de marketing da empresa e também seguir os padrões de rotulagem estipulados pelo mercado de destino.

A embalagem pode ser compreendida como a roupagem do produto. Muitas vezes, ela diz muito sobre ele: categoria, conteúdo, vantagens, além de instigar seu consumo quando for o caso.

Grande parte dos produtos destinados ao mercado externo não tem nenhum apoio de comunicação, ou seja, toda a comunicação necessária para fazer a interface e conquistar clientes é feita por intermédio da embalagem, que está quase sempre exposta em meio a produtos concorrentes. Portanto, embalagem é um fator primordial que merece destaque e mais uma vez ser mencionada.

O tema embalagem é avaliado com tanta importância que periodicamente a Apex-Brasil cria projetos exclusivos para auxiliar no desenvolvimento de embalagens inovadoras para o mercado externo. É sempre recomendável verificar em seu portal: http://www.apexbrasil.com.br.

## ■ 7.4. Especificações técnicas para embalagens

Podemos classificar as embalagens em três tipos quando estamos tratando de internacionalização de produtos:

■ Embalagem primária

É aquela que além de proteger os produtos também comunica. Dentro dela os produtos são diretamente acomodados. Os países costumam determinar a rotulagem necessária para constar na embalagem primária mencionando em que língua deve estar e quais informações deve conter.

As Câmaras de Comércio de cada país instaladas no Brasil ou os Setores de Promoção Comercial das representações diplomáticas do Brasil podem fornecer informações acerca da rotulagem. Contatos podem ser obtidos por meio do portal investexportbrasil.dpr.gov.br.

155

## ■ Embalagem secundária

São embalagens que cabem duas ou mais embalagens primárias com o objetivo de agrupá-las. Informações obrigatórias contidas nas embalagens primárias também devem constar nela. Atente-se para o material, a resistência e a acomodação dos produtos internos de maneira que não sofram avarias.

## ■ Embalagem terciária

A principal função desse tipo de embalagem é organizar e proteger os produtos devidamente acomodados nas demais embalagens para o transporte internacional. Deve-se prever manuseios, movimentações e turbulências, seja aéreas seja marítimas. Normalmente, são utilizados materiais mais resistentes em sua composição.

Informações que normalmente devem constar de uma embalagem destinada ao mercado externo:
- ✓ Informações sobre o produto;
- ✓ Identificação de que está de acordo com as normas de segurança e qualidade do mercado de destino;
- ✓ Adequação ao transporte internacional (resistência e manutenção da qualidade dos produtos); e
- ✓ As informações devem estar em inglês, e se possível, também no idioma do mercado de destino.

Além da embalagem terciária, muitas empresas buscam agrupar seus produtos em estruturas conhecidas como paletes. Eles consistem de estrados, cujas dimensões são normalmente padronizadas. As mercadorias costumam ser acomodadas sobre ou entre eles e depois atadas com materiais como fitas, filmes ou cordas, dependendo do produto ou da situação. O uso de paletes oferece vantagens como diminuição do tempo de manuseio da carga, redução do risco de avarias e do custo de mão de obra para movimentação do produto.

**O que atentar quando desenvolver embalagens para o mercado externo?**

O crescimento da globalização e, consequentemente, o avanço do comércio internacional aumentam a importância da embalagem. Atualmente, é possível encontrar no Brasil tâmaras em qualquer época do ano, assim como consumidores do mundo todo podem consumir frutas frescas dos trópicos.

Além das questões de logística e transporte que são fundamentais para que os produtos cheguem ao seu destino, as embalagens têm que oferecer barreiras apropriadas para garantir segurança alimentar a carnes e a todos os outros produtos. Há muita tecnologia embarcada em uma aparentemente "simples" embalagem.

É preciso estudar as necessidades que cada produto requer:
- Quanto tempo estará em trânsito;
- Qual o "*shelf life*" (vida de prateleira);
- Quais as propriedades têm que ser garantidas (crocância, sabor, umidade, secura, gorduras, aromas...);
- Para cada produto, há necessidade de barreira e um material adequado. Quem quer uma torrada murcha ou um salgadinho rançoso?

Além da questão de estrutura física e das barreiras certas, é importante saber quais as condições de comercialização do produto. Em cada lugar do mundo, os hábitos podem ser diferentes. Entender o que o consumidor quer é primordial. A partir daí devemos buscar a tecnologia para atender. Entender para atender é fundamental para o sucesso.

**Assunta Camilo**
Diretora da Future Pack Consultoria de Embalagens do Instituto de Embalagens e autora do livro *Better Packaging Better World*. Atua há mais de 35 anos no mercado de embalagens.

## ■ 7.5. Registro de marcas e patentes

Muitas vezes, empresas brasileiras têm seus produtos e marcas registrados no Brasil, mas podem esquecer que, para cada mercado, é fundamental que façam o mesmo processo de modo a garantir seu direito de usar a marca no local além de proteger o produto de possíveis agentes mal-intencionados.

Não é incomum organizações agirem de má-fé e aproveitarem o sucesso de uma marca para registrá-la antes do fabricante que já está no mercado.

> No Brasil, o registro de marcas e patentes é realizado com o Instituto Nacional da Propriedade Industrial www.inpi.gov.br. Nos mercados de destino dos seus produtos, verifique o procedimento com o órgão competente, que pode ser consultado por meio dos setores comerciais das embaixadas do Brasil no exterior. Esses contatos podem ser obtidos no portal investexportbrasil.dpr.gov.br.

### ■ 7.6. Pesquisa de mercado internacional

A pesquisa de mercado pode ser breve ou exaustiva e seu conteúdo depende do produto a ser exportado. Uma pesquisa para um bem industrial provavelmente terá um conteúdo diferente de uma realizada para um bem de consumo. Além disso, as empresas cada vez mais priorizam as pesquisas de acordo com suas necessidades e especificidades. No entanto, podemos recomendar alguns passos genéricos para o planejamento de uma pesquisa de mercado efetiva:

✓ **Conheça seu produto/serviço**: o primeiro passo é conhecer o seu produto. Embora pareça óbvio, é importante fazer esse exercício de forma relativa, ou seja, comparando-o com os demais da mesma categoria nos mercados em que sua empresa atua ou deseja atuar: o que a concorrência está fazendo e como meu produto se compara ao dela?

✓ **Defina o mercado**: existem diversas maneiras de definir o mercado para o seu produto, o que dependerá se sua empresa ofertará seus produtos e/ou serviços como estão ou se está disposta a fazer adaptações. É possível, porém, identificar os maiores mercados internacionais a partir do consumo, volume de vendas baseado em número de visitantes estrangeiros, no caso de negócios ligados ao turismo, ou importações, no caso de vendas externas, entre outras informações sobre o mercado dependendo do produto. Se a intenção é exportar, lembre-se de que um baixo volume de importações no mercado-alvo não significa inviabilidade. Dependerá do tipo de produto, do nicho de mercado que deseja atuar, do volume que se pretende exportar e da existência de barreiras comerciais, entre outros fatores.

> Uma pergunta-chave a ser feita antes de se definir um mercado ou um público-alvo internacional é: vale mais a pena descobrir quais mercados estariam dispostos a consumir o produto da maneira em que está ou investimentos em adaptações ampliariam o mercado trazendo melhores resultados?

✓ **Estude o canal de mercado**: esmiúce o canal de mercado para o seu produto na área escolhida. É possível que produtos semelhantes ao da sua empresa sejam ofertados a turistas, importadores, *brokers*, distribuidores, atacadistas, varejistas ou até mesmo indústrias;

✓ **Analise a concorrência**: conhecer quem pode atrair seus clientes potenciais é essencial. Primeiramente é importante estudar os serviços, os produtos, as embalagens, os componentes ou ingredientes, o posicionamento, as formas de promoção, o *market share*, bem como o desempenho dos principais concorrentes identificados (na mesma categoria do seu produto/serviço) nos últimos períodos. Monitorar as novas formas de atuação na era digital é essencial.

*Market share*, também conhecido como quota de mercado, significa, literalmente, fatia de mercado. Geralmente expressa o percentual de mercado que cada marca, empresa ou país tem em determinado segmento.

✓ **Compreenda o perfil do consumidor ou usuário final**: para o sucesso e a perenidade das exportações, é importante que o produto desenvolva uma relação com o público-alvo final. Muitas empresas usam apenas o preço como estratégia de venda e acabam ficando vulneráveis às oscilações do mercado. É preciso conhecer quem toma a decisão da compra, suas características, cultura, o que é desejável e indesejável.

✓ **Observe as tendências de mercado**: compreender o tipo, a embalagem, a forma de consumo ou uso de produtos similares ao seu nos próximos períodos ajudará sua empresa a se planejar melhor. Revistas setoriais e opiniões relevantes podem ser boas fontes de conhecimento. É importante pensar além, já que vivemos em uma época de imprevistos e inovações.

Existem diversos órgãos e sites brasileiros que contêm instruções de como exportar, informações de mercado, plataformas de promoção comercial, regulamentação e diversas outras formas de apoio. Explorar esses canais é um excelente início.

Antes de começar uma pesquisa de mercado, é importante saber a classificação internacional de seus produtos e/ou serviços. As fontes especializadas oferecem dados e estatísticas de acordo com essa classificação. Mais informações sobre a descrição internacional de produtos são encontradas na página 217.

Entre as principais fontes para a obtenção de informações para a sua pesquisa de mercado, estão:
- ✓ Fluxo de visitantes estrangeiros e informações sobre turismo: www.dadosefatos.turismo.gov.br;
- ✓ Informações sobre o comércio internacional global, com destaque para identificação dos países que são os maiores compradores de determinados produtos, quais são suas tarifas de importação e exportação, entre outros detalhes: www.trademap.org;
- ✓ Informações sobre o que o Brasil vende e compra internacionalmente: comexstat.mdic.gov.br;
- ✓ Informações diversas como oportunidades, guias, legislação e apoio: http://www.investexportbrasil.gov.br;
- ✓ Apoio em capacitação e promoção comercial, incluindo estudos de mercados prontos: http://www.apexbrasil.com.br.

Procure saber quais são as principais referências mundiais de informações e tendências de mercado no seu segmento. Podem ser consultorias especializadas, revistas e periódicos. Os departamentos internacionais das entidades de classe que representam seu setor poderão indicar e o auxiliar nesse quesito.

# ■ 7.7. Ações de promoção internacional

São diversas as ações de promoção internacional. Selecione aquelas que têm maior relação custo-benefício para o tipo de negócio considerando seus produtos e/ou serviços. Empresas que oferecem serviços a turistas estrangeiros, por exemplo, devem considerar as plataformas digitais e os aplicativos cada vez mais utilizados internacionalmente.

Empresas que desejam exportar devem considerar maneiras efetivas de proporcionar interação entre os seus produtos e serviços e o mercado internacional. Nesse caso, viagens de prospecção e feiras internacionais são uma excelente opção, entretanto, a nova era digital tem oferecido, e deve continuar a oferecer, alternativas cada vez mais eficazes de promoção de produtos. Elas devem ser realizadas desde a fase de introdução de um produto até as demais fases como forma de manutenção.

Existem diversas formas de interagir com o público-alvo de produtos, e é importante que eles e sua marca cheguem até os clientes causando a melhor impressão possível. Entre as opções de promoção comercial, podemos citar algumas:

## ■ Site internacional

O *site* internacional não é propriamente uma ação de promoção comercial internacional, mas sua versão pode ser a porta de entrada da clientela, que pode acessar de qualquer parte do mundo. Desse modo é importante que o público-alvo tenha contato com todas as mensagens necessárias para que seja estimulado à compra.

Quando falamos "mensagens" nos referimos a todas as informações que podem ser decodificadas pelo público-alvo.

O conteúdo escrito deve conter objetivamente o que é o negócio e ser convidativo aos produtos e serviços da empresa com suas devidas descrições. Deve estar em língua inglesa e/ou em outros idiomas de mercados que você identificar como potenciais para seus negócios.

Imagens, cores, fontes gráficas e demais elementos do *site* devem ser harmônicos e sempre que possível atuais, obedecendo à identidade visual ou *branding* da empresa. Os contatos da área internacional devem ser facilmente visualizados.

*Branding* é um termo que tem relação com *brand*, ou seja, marca. Consiste da definição de conceitos relacionados à marca e como utilizá-los. O *branding*, muitas vezes, define como a marca deve ser utilizada, quais cores e formas os materiais de promoção devem ter, que tipo de mensagem deve comunicar e qual relação tem com os valores da empresa. Há negócios que expandem o *branding* para treinamento do pessoal, comunicação, layout e praticamente tudo o que envolve a empresa. O *branding* transforma-se assim na alma e na roupagem da empresa.

Informações sobre *branding* e como fazer sua gestão podem ser encontradas no site do SEBRAE. Para isto, basta digitar "*branding*" ou "gestão da marca" no mecanismo de busca do site: www.sebrae.com.br.

Muitas empresas, mesmo médias e grandes, não têm versões internacionais de seus *sites*, o que dificulta o acesso a informações sobre seus produtos e serviços.

Existem atualmente ferramentas de tradução automática dos conteúdos. Todavia, nem sempre a mensagem será clara e atraente devido a falhas na tradução, o que deve ser melhorado à medida que as tecnologias voltadas à tradução avançam. Além disso, o conteúdo-base deve ser adaptado a um público tanto nacional quanto internacional, ou seja, culturalmente compatível.

### ■ Redes sociais

De acordo com a consultoria internacional Statista (CLEMENT, 2020), o uso de redes sociais tem crescido no mundo inteiro e a tendência é crescer ainda mais. Em 2017, 71% dos usuários de internet possuíam perfis em redes sociais.

Atualmente, as redes sociais são uma das atividades on-line mais populares, com altas taxas de engajamento dos usuários e expansão das possibilidades de dispositivos móveis.

Segundo a consultoria Smart Insights (CHAFEY, 2020    ) , em 2018:

- O número de usuários da internet em todo o mundo foi de 4,021 bilhões, apresentando um aumento de 7% em relação ao ano anterior;
- O número de usuários de mídia social em todo o mundo foi de 3,196 bilhões, um aumento de 13% em relação ao ano anterior; e
- O número de usuários de telefones celulares foi de 5,135 bilhões, um aumento de 4% em relação ao ano anterior.

Os mercados mais desenvolvidos tendem a ter maior percentual de sua população atuante em redes sociais. O norte da Europa tem 94%, a Europa ocidental tem 90% e os Estados Unidos, 88%. No entanto, países e regiões como Arábia Saudita, Índia, Sudeste Asiático, China e África do Sul têm apresentado os maiores crescimentos de envolvimento da população em mídias sociais.

O Facebook é o líder entre as mídias sociais mais utilizadas, seguido pelo YouTube. O LinkedIn não está entre as dez mais utilizadas, mas é uma opção interessante para a atuação profissional, já que tem seu uso dedicado a esse propósito.

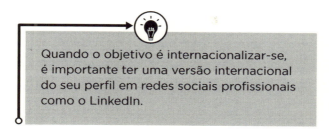

Quando o objetivo é internacionalizar-se, é importante ter uma versão internacional do seu perfil em redes sociais profissionais como o LinkedIn.

As mídias sociais podem servir para ter um relacionamento direto com o cliente, mas é importante que haja um planejamento para tal.

Existe a possibilidade de compartilhar conteúdo gerado pelo negócio, como fotos e vídeos, além de outros recursos. É importante saber o quanto o seu público seguidor estará disposto a ver postagens do seu produto.

Ter um perfil corporativo nas redes sociais tem demonstrado ser interessante para grande parte dos negócios. As redes sociais geralmente oferecem ferramentas de marketing com tutoriais para que campanhas sejam realizadas.

Procure avaliar o retorno do investimento em marketing com mídias sociais. Verifique quantas pessoas acessam seu *site* e quantas efetivamente transformam-se em clientes.

■ Relações públicas e contato com a mídia

Para ter uma atuação internacional, é importante que as empresas possam chamar a atenção e atender de maneira adequada a demandas da imprensa estrangeira. Nesse caso, o ideal é possuir profissionais capacitados ou treinados nesse ramo (com experiência em revistas, jornais, televisões, *blogs* etc.), em língua compatível.

As empresas podem ter a área de comunicação ou marketing dedicadas a essa atividade ou ainda contratar uma assessoria de imprensa ou de relações públicas com experiência em promoção internacional. Em outros casos, vendedores ou profundos conhecedores dos produtos e/ou serviços devem ser os mais indicados para a atividade.

Ao contatar ou atender à imprensa internacional, é sempre bom destacar os diferenciais e as vantagens competitivas do produto, se possível vinculando a ele um *storytelling*, demonstrando de forma dinâmica e envolvente a história que torna o desenvolvimento do negócio (produto/serviço) especial e interessante ao público-alvo. Vincular os produtos às tendências e inovações pode aumentar o interesse da mídia internacional.

> Identifique os principais meios de comunicação especializados no seu segmento e busque se aproximar dos jornalistas e formadores de opinião. Inteire-se sobre os assuntos do interesse dele e, assim que tiver novidades sinérgicas, apresente-as respeitando as questões culturais. Seu contato deve parecer uma oportunidade de publicar uma novidade e não uma tentativa de venda, o que, algumas vezes, pode prejudicar a imagem de seu produto e de sua empresa.

A área ou profissional responsável pelas relações públicas pode ainda desenvolver eventos periódicos para promoção da marca. Dependendo dos produtos, há a opção de fazer degustação ou uma apresentação da experiência dos serviços.

■ Viagens de prospecção

Viagens de prospecção e apresentação podem ser uma boa opção que envolve pesquisa de mercado e promoção comercial.

Antes que ela se realize, faça uma pesquisa de mercado e identifique potenciais clientes. Estando a par disso, é recomendável que se agende as reuniões com antecedência, confirmando os encontros antes da viagem.

Ao planejar a viagem, leve em consideração aspectos culturais e estruturais do país de destino (trânsito, transporte, estrutura, tecnologia, distâncias etc.):
- ✓ Com quem tratará (e identifique qual poder de decisão a pessoa tem);
- ✓ Quais informações você deseja obter;
- ✓ Como apresentará seu negócio;
- ✓ Informações sobre produtos e/ou serviços com precificação, de preferência, no local de entrega;
- ✓ Quanto tempo é necessário para cada reunião e entre as reuniões;
- ✓ Equipamentos e materiais necessários para a reunião; e
- ✓ Se há necessidade de levar presentes.

■ Feiras e rodadas internacionais

Feiras e rodadas internacionais são formas de promoção comercial bastante eficientes e eficazes.

Feiras internacionais, por exemplo, reúnem milhares de compradores e vendedores internacionais em um só lugar e em um curto espaço de tempo.

Entre as várias maneiras de se buscar produtos e fornecedores, essas feiras têm destaque. Possibilitam conhecer e analisar uma grande quantidade de produtos e serviços ao mesmo tempo.

Visitar uma feira internacional permite adquirir uma visão bastante abrangente do mercado. Expor proporciona, ainda, encontros com potenciais compradores, compreender suas necessidades e possivelmente fechar negócios.

Existem diversos *websites* e até mesmo aplicativos que reúnem eventos que acontecem no mundo inteiro por segmento de indústria. Um deles é o www.tradefairdates.com, embora seja recomendável checar os principais eventos do seu segmento com a Apex-Brasil (www.apexbrasil.com.br) ou com a entidade de classe que representa o seu segmento e tem projetos setoriais para exportação. A lista de entidades e seus contatos também constam do *website* da Apex-Brasil.

Para tirar melhores vantagens da participação de uma feira internacional, procure:
- ✓ Conhecer o mercado e a cultura local dos potenciais clientes interessantes para você;
- ✓ Ter materiais de comunicação escrita e auditiva devidamente adaptados em língua estrangeira e de maneira a serem convidativos a visitantes (catálogos, banners, cartões de visita, configuração do estande, lista de preço etc.);
- ✓ Reservar tempo, preferencialmente exclusivo, para sua atuação na feira e descanso necessário para um melhor rendimento;
- ✓ Ser proativo quando no estande, sempre respeitando as características culturais do público estrangeiro;

> ✓ Fazer uma lista de informações a serem obtidas na feira, incluindo: feedback de clientes, avaliação da concorrência, tendências e inovações;
> ✓ Desenvolver um relatório com adaptações necessárias para atingir o público-alvo;
> ✓ Criar uma lista de contatos obtidos e manter contato com eles, sempre observando seus aspectos culturais para uma estratégia de venda bem-sucedida; e
> ✓ Observe se existem conferências com temas do interesse do seu negócio e procure se inscrever em tempo.

Rodadas de negócio ou encontros para *networking* são geralmente organizados por organismos atuantes na promoção de negócios internacionais como agências e câmaras de comércio.

As estações de trabalho com horários agendados são oportunidades para expor seus produtos e discutir negócios. É aconselhável ter todas as informações necessárias como se fosse para uma participação de feira internacional.

Já o *networking* geralmente serve para um primeiro encontro e posterior contato. Nesse caso, a comunicação tem um papel bastante importante.

> As câmaras de comércio internacionais costumam promover eventos para *networking* e rodadas de negócio. O Guia de Comércio Exterior e Investimento divulga a lista das câmaras por países no seu portal: http://www.investexportbrasil.gov.br.

## ■ Rede de relacionamento internacional

Criar uma rede de relacionamento internacional é importante para manter contatos, trocar informações e prover seu público-alvo de informações sobre os produtos.

Atualmente, as redes internacionais de negócios não estão restritas a eventos. Estes podem ser só um começo do relacionamento ou de sua manutenção.

As redes sociais possibilitam contato assíduo com as pessoas que você encontra em feiras, eventos e, por que não, nas próprias redes sociais, embora este último requeira certa cautela em relação à veracidade das informações e da idoneidade dos profissionais por trás dos perfis.

Twitter, Instagram e LinkedIn devem ser levados em consideração. Esse último, por exemplo, pode ser compreendido como uma versão profissional do Facebook, em que você pode inserir informações profissionais suas e de seu negócio dependendo do seu interesse. (Claro que, se você está desenvolvendo um networking internacional, é bastante recomendável que seu perfil esteja em inglês.)

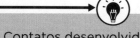

Contatos desenvolvidos em reuniões podem ser adicionados em redes sociais apropriadas, como o LinkedIn. É uma maneira de manter atualizadas as informações sobre seu *networking*, dispensando, em partes, os antigos porta-cartões.

Quando o contato se torna mais frequente, é possível usar programas de comunicação à distância, como o *Skype*, para facilitar a comunicação.

## ■ Anúncios

Anúncios em meios de comunicação como TV, rádio, revistas e afins são recomendados para quem já tem certo conhecimento de mercado, tem sua distribuição devidamente planejada e, preferencialmente, em andamento. É recomendado que seja realizado por uma área especializada da empresa ou agência de comunicação internacional contratada para esse fim. Costumam ser caros, dependendo do canal.

Compare as diversas alternativas disponíveis no mercado e analise se é o que realmente interessa ao negócio quanto à sua potencial eficácia para o aumento de vendas.

Muitos países têm regulamentações específicas para anúncios, o que é preciso saber de antemão junto a parceiros locais ou agência contratada.

Há diversas maneiras de se fazer anúncios e cada uma delas deve ser analisada em uma relação de custo-benefício mais pragmática possível. Entre elas, destacamos:

✓ Anúncios e ações em pontos de venda;
✓ *Banners* em *websites*;
✓ Jornais, revistas e periódicos; e
✓ Propaganda em TV.

## ■ 7.8. Praça – Distribuição e clientes

Estudar a "praça" tem como principal foco descobrir a quem seus produtos ou serviços são destinados – clientes –, o que varia conforme o tipo de negócio que você tem e deseja internacionalizar.

Se você tem um negócio no Brasil, como um estabelecimento de um comércio, e deseja atrair turistas, estes estarão no cerne da sua praça. E esse é um caso que chamamos de canal direto.

Por outro lado, se o objetivo está em vendas internacionais, há de se considerar outros fatores importantes, já que seus produtos chegarão aos clientes por meio de um canal de distribuição. Este é normalmente composto por pessoas físicas e/ou jurídicas que facilitam a chegada dos produtos até o cliente final. Esses intermediários podem ser distribuidores, atacadistas, agentes (*brokers*), corretores e varejistas.

Nas vendas internacionais, o número de intermediários tende a ser grande devido a procedimentos padrões e regulamentações que atingem exportações para quem vende e importações para quem compra.

O importante é definir que tipo de empresa tem o poder de decisão e o que pode influenciá-las. Por exemplo, há casos em que importadores de bens de consumo são ao mesmo tempo atacadistas e observarão que tipo de demanda o varejo tem. Obviamente, produtos de consumo sempre focam o consumidor final. Assim sendo, a estratégia de desenvolvimento de produtos e embalagens deve priorizar esse público.

Vejamos algumas possibilidades de *players* que participam da distribuição.

## ■ Trading companies

Como veremos adiante, sua empresa pode optar por não fazer uma exportação direta, ou seja, ela mesma exportar. Nesse caso, você transferirá as operações e a comercialização a uma empresa *trading*. O envolvimento da empresa com as negociações internacionais pode variar e dependerá do modelo de contrato a ser acordado. Essas empresas têm diversas maneiras de ser remuneradas, mas costumam ganhar por operação e, dessa forma, reavaliarão o potencial de vendas do produto a ser exportado. Assim sendo, é importante apresentar um projeto que seja plausível para o seu produto, com a devida cautela, já que a *trading* pode avaliar a ideia como viável, mas encontrar em um concorrente seu maior potencial de ganhos.

Empresas *trading* podem ser encontradas no portal www.investexportbrasil.gov.br. Além disso, o projeto Brazilian Suppliers do Conselho Brasileiro das Empresas Comerciais Importadoras e Exportadoras (CECIEX) possui um portal com um banco de dados de *trading companies* que podem ser buscadas por segmento, faixa de valor e países para os quais vendem: www.ceciex.com.br.

### ▪ Importadores atacadistas

São empresas baseadas no exterior que realizam, grosso modo, o mesmo papel das *trading companies*. A diferença, no caso, é que a sua empresa negociará e realizará o processo de exportação para que os produtos cheguem nesse canal. Muitos importadores são ao mesmo tempo atacadistas e, a partir deles, os produtos irão diretamente ao mercado varejista. Os atacadistas foram incluídos no mesmo tópico, uma vez que atacadista que não importa não constitui um canal possível para quem quer vender, a não ser que ele passe a importar e apresente evidências de conhecimento e estratégia para fazê-lo de maneira adequada.

### ▪ Importadores varejistas

Esse tipo de canal pode ser bastante vantajoso já que a partir dele os produtos são diretamente colocados à disposição dos clientes. No entanto, muitos varejistas, principalmente grandes redes de mercados mais desenvolvidos ou aqueles de boa reputação, costumam fazer grandes exigências: como certificações, quantidades mínimas e outros aspectos de risco para o exportador. É fundamental conhecer como funciona esse mercado antes de abordá-lo.

> A Apex-Brasil e as Câmaras de Comércio de vários países podem oferecer informações sobre o funcionamento do mercado varejista na área em que sua empresa deseja atuar.

### ■ Agentes (brokers)

Muitos segmentos são complexos e dependem de relacionamento e monitoramento constante de oportunidades. É aí que entram os *brokers*, que podem ser pessoas jurídicas, mas é comum que pessoas físicas, legalmente aptas a operar, desenvolvam esse papel. Alguns agentes são importadores, já outros são especialistas no mercado e assumem a função de representantes dos produtos.

Selecionar um bom agente é essencial para o sucesso dos negócios. Verifique a idoneidade e a capacidade de realização sinérgica às pretensões dos seus objetivos. O agente também pode ser uma ótima fonte de informações de mercado.

> Para selecionar um bom agente, procure saber:
> - ✓ Sua experiência e realizações bem-sucedidas com produtos importados;
> - ✓ Atuação legal e idoneidade;
> - ✓ Imagem que ele tem no mercado;
> - ✓ Envolvimento com missão e valores do seu negócio;
> - ✓ Se ele acredita no potencial do seu produto no mercado em que atua e por que; e
> - ✓ Se as informações são verídicas, consultando outros *players* de maneira discreta e indireta.

## ■ 7.9. Preço

O preço está entre os fatores de maior impacto na escolha de um produto e um serviço. Tende a ter mais influência nos mercados da massa, ou seja, que tem as classes de média à baixa como público-alvo. Um menor impacto é esperado se os produtos ou serviços destinam-se a classes de média à alta.

Em negócios B2B, a relação custo-benefício é normalmente analisada de maneira objetiva, por exemplo, na venda de maquinários.

A formação de preço ideal deve partir do valor que o cliente está disposto a pagar para obter seus produtos ou serviços com base em pesquisas fundamentadas. Posteriormente, é preciso verificar todos os itens que compõe seus custos até o momento que o produto ou serviço é adquirido por seu cliente. Os custos podem ser divididos entre fixos e variáveis.

Grosso modo:
**Custos fixos**: são aqueles que continuam constantes independentemente da quantidade de produtos vendidos.
**Custos variáveis**: são aqueles que variam conforme a quantidade de produtos vendidos.

Exemplos de custos fixos são aluguéis, salários administrativos, limpeza e outros que tendem a ser mantidos indiferentes às vendas. Comissões de vendas, energia e matéria-prima, por exemplo, fazem parte dos custos variáveis, já que aumentam ou diminuem em sintonia com as vendas.

A análise dos custos é essencial para identificar um nível abaixo do qual a definição de um preço seria inviável. Dessa maneira, é importante analisar o ponto de equilíbrio, ou seja, o ponto em que o custo total e a receita se igualam e posteriormente incluir a previsão de vendas necessárias para a viabilidade do negócio.

Ponto de equilíbrio para a determinação do preço

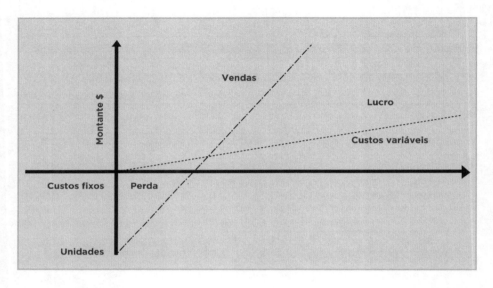

A imagem anterior nos mostra, na horizontal, a linha de custos fixos paralela ao eixo métrico, que indica o número de unidades vendidas. Na vertical a medição de valores. A linha que representa o custo variável tende a subir menos inclinadamente que a linha que representa as vendas. Assim as linhas se cruzam em determinada quantidade de produtos a certo preço que indica o ponto de equilíbrio. Portanto, a quantidade vendida além desse ponto passa a ser lucrativa.

Quando a linha correspondente às vendas se encontra abaixo da somatória dos custos, forma uma área triangular. Qualquer ponto correspondente à quantidade nessa área representa perdas. Já quando a linha correspondente às vendas encontra-se acima dos custos, forma um triângulo cuja área representa lucros possíveis.

Todavia, existe um fenômeno conhecido como elasticidade da demanda em que o preço dos produtos influencia a quantidade vendida. Quanto mais alto o preço, menor é a quantidade de produtos vendidos. Existem produtos cuja demanda tende a ser mais elástica, ou seja, a demanda é mais sensível ao nível dos preços. Exemplos de produtos de demanda elástica são: café, tipos de carnes, carro e roupas. Por outro lado, exemplos de produtos cuja demanda tende a ser inelástica: medicamentos e água.

Entretanto, no cenário global é preciso levar em consideração a cultura de cada país. O feijão pode ser considerado um produto de demanda inelástica no Brasil, já que é um item culturalmente essencial na dieta dos brasileiros. Contudo, a elasticidade do feijão deve ser grande em países em que o produto não é considerado fundamental.

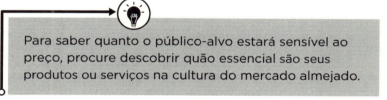

Para saber quanto o público-alvo estará sensível ao preço, procure descobrir quão essencial são seus produtos ou serviços na cultura do mercado almejado.

Identificar o ponto de equilíbrio de um preço não deve ser considerado uma estratégia, mas sim uma análise a partir da qual é possível tomar decisões. A definição do preço deve levar em consideração as características do mercado-alvo e a estratégia de marketing da empresa.

Por exemplo, para sua empresa praticar um preço único para determinado produto que se destina tanto ao mercado nacional quanto internacional, é preciso focar o peso de ambos os mercados no seu negócio. Se o mercado nacional é mais significativo, deve influenciar mais na sua precificação. Na pesquisa de mercado, seus clientes-alvo já passam pelo filtro: somente aqueles que estariam dispostos a pagar o montante.

Não obstante, muitas vezes, é possível praticar diferentes preços a públicos variados em grande parte dos negócios voltados à exportação. Isso dependerá de como seu produto é percebido em cada mercado, ou seja, o quão valioso ele é para os clientes.

Podemos citar algumas alternativas de estratégia de preço:

### ■ Preço de penetração

É a utilização de um preço menor que a média aplicada a produtos da mesma categoria no mercado-alvo com o objetivo de, a longo prazo, obter maior participação no mercado. Embora muitas vezes funcional, essa estratégia pode ser arriscada, uma vez que pode estimular os concorrentes a fazerem o mesmo, além de que, geralmente, os clientes não aceitam mudanças bruscas nos preços dos produtos. Ademais, a margem de lucro é sacrificada nessa estratégia.

### ■ Preço inicial elevado

Essa estratégia pode ser usada quando os clientes tendem a perceber o produto como item de prestígio. À medida que o tempo passa e mais clientes passam a adquiri-lo, os preços podem ser baixados. O lucro inicial por produto tende a ser alto, mas, a longo prazo, muitas vezes, compensado e superado pela quantidade vendida. Muitas vezes, investimentos com promoção são necessários para que a percepção acerca do produto esteja no nível do seu preço. É importante observar se existem potenciais concorrentes antes de adotar essa estratégia.

### ■ Alinhamento do preço com o líder de mercado

Essa estratégia é utilizada quando existem fortes concorrentes no mercado-alvo. A entrada de uma pequena empresa praticando preços menores pode provocar reações da concorrência a fim de mitigar sua possibilidade de crescimento ou até de participação do mercado. Fixar um preço no mesmo patamar dos líderes de mercado costuma incomodar menos a concorrência. Entretanto, o cliente precisa perceber vantagem em comprar seus produtos e não o da concorrência. Costuma ser uma estratégia difícil de manter a longo prazo.

### ■ Alinhamento do preço por categoria

É a aplicação de diferentes preços em produtos semelhantes destinados a categorias variadas. Muitas vezes, essas categorias são associadas à qualidade de produtos e poder de compra do cliente. A empresa pode desenvolver linhas de produtos para clientes mais exigentes e com maior poder de compra e outras destinadas a clientes menos exigentes e com menor poder aquisitivo.

### ■ Preço que o mercado suporta

Essa estratégia costuma ter mais sucesso quando não existe concorrência no mercado-alvo e com produtos que não sejam percebidos como comuns. Dessa maneira, o diferencial competitivo é importante.

### ■ Preço variável

É aplicado quando a empresa identifica que diferentes clientes têm diferentes características, até mesmo culturais, que influenciam na demanda dos produtos ou serviços. Existem clientes que têm maior poder de barganha, a e estes podem ser concedidos descontos. Além disso, em alguns mercados árabes e do sudeste asiático, por exemplo, é comum que compradores esperem grandes descontos. Nesse caso, a margem de preço inicial da oferta deve prever essa necessidade cultural. Já em mercados como o norte-europeu, costumam barganhar menos, mas exigir especificações detalhadas do que poderão adquirir. É uma estratégia habitual para empresas que atuam no mercado externo, mas normalmente inviável para empreendimentos como pousadas ou restaurantes, por exemplo.

## ▪ Preço para venda internacional

Quando a internacionalização do negócio visa a vender mercadorias ao exterior, é preciso ter em mente algumas peculiaridades na determinação do preço.

De maneira geral, é importante ressaltar que os mesmos investimentos necessários para desenvolvimento, fabricação e venda de produtos que ocorrem quando o foco é o mercado interno também existem para o mercado internacional. Desse modo, os recursos destinados a pesquisa, viagens de prospecção, promoção comercial e adaptação de produtos, por exemplo, podem ser maiores do que aquilo que se realiza no mercado interno quando diluímos por unidade vendida.

Entretanto, produtos exportados não estão sujeitos a impostos aplicados às vendas em território nacional, o que pode fazer os produtos terem um preço internacional unitário muitas vezes inferior ao praticado no mercado interno. Logicamente, o preço final depende de fatores voláteis como a variação de câmbio.

Na exportação de produtos, não há incidência dos seguintes impostos:
- ✓ COFINS – Contribuição para Financiamento da Seguridade Social;
- ✓ ICMS – Imposto sobre Circulação de Mercadorias e Serviços;
- ✓ IPI – Imposto sobre Produtos Industrializados; e
- ✓ PIS – Programa Integração Social.

Mudanças de governos podem acarretar mudanças na política tributária. É sempre recomendável manter-se atualizado acerca dos impostos aplicáveis.

Assim, podemos fazer uma breve comparação dos seguintes itens:
- **Custo de produção**: costuma ser ligeiramente mais alto que aquele para o mercado interno, já que, muitas vezes, os produtos necessitam de adaptações como, por exemplo, embalagens;
- **Comissão de vendas**: esse item depende muito da indústria e dos vendedores, se estão no mercado interno ou externo. De maneira geral, não existe diferença significativa em relação ao que é praticado no mercado externo;
- **Publicidade**: pode ser mais cara dependendo do mercado. Grande parte das empresas que exporta não usa publicidade. Nesse caso, deve-se investir em embalagens atrativas para o público-alvo;
- **Viagens internacionais**: o investimento costuma ser elevado, especialmente quando a cotação do dólar está alta;

- **Frete internacional**: também tende a ser mais custoso e moroso, uma vez que o produto pode percorrer longas distâncias para chegar ao mercado de destino.

Informações sobre frete internacional são encontradas na página 239.

- **Impostos**: como visto anteriormente, produtos destinados à exportação não têm incidência ou são isentos de impostos.

A isenção ou não incidência de impostos pode baratear o produto cerca de 25% em alguns casos.

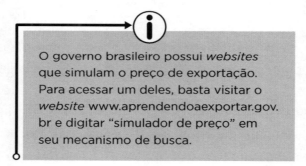

O governo brasileiro possui *websites* que simulam o preço de exportação. Para acessar um deles, basta visitar o *website* www.aprendendoaexportar.gov.br e digitar "simulador de preço" em seu mecanismo de busca.

## Lidando com a concorrência

Quando estamos falando de clientes, precisamos lembrar que eles são expostos a produtos e serviços de outros fornecedores, os quais chamamos de concorrentes.

No ambiente internacional, a concorrência pode vir potencialmente de qualquer lugar do mundo. Normalmente vem de países cuja cultura de vendas é mais agressiva e cuja relação preço-qualidade seja considerada aceitável pelos clientes.

No entanto, é importante atentar para dois aspectos da concorrência. O primeiro deles é o da concorrência direta. Esta tipo refere-se às empresas que oferecem produtos ou serviços similares aos seus, com preços, tipo de negócio e operações semelhantes. Dessa maneira, geralmente, atingem o mesmo público-alvo de seu negócio.

Ao lidar com esse tipo de concorrência, as empresas, normalmente, focam o barateamento por meio de inovações ou o desenvolvimento de diferenciais competitivos.

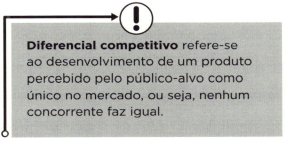

**Diferencial competitivo** refere-se ao desenvolvimento de um produto percebido pelo público-alvo como único no mercado, ou seja, nenhum concorrente faz igual.

Por um lado, é desafiador produzir diferenciais competitivos no mercado internacional, uma vez que é difícil monitorar o que todos os concorrentes e os potenciais concorrentes estão desenvolvendo. Uma alternativa é aproveitar dos recursos e atributos naturais brasileiros que são acessíveis ao seu negócio e serão percebidos como diferenciais em mercados externos.

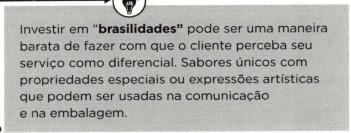

Investir em **"brasilidades"** pode ser uma maneira barata de fazer com que o cliente perceba seu serviço como diferencial. Sabores únicos com propriedades especiais ou expressões artísticas que podem ser usadas na comunicação e na embalagem.

Por exemplo, turisticamente, muitos estrangeiros conhecem o Rio de Janeiro ou a Amazônia, mas dificilmente já ouviram falar de pontos longínquos com potencial turístico. Mostrar que o Brasil está além do que eles conhecem pode ser uma estratégia. Todavia, deve-se tomar o devido cuidado, pois apresentar elementos com que os clientes já estejam, de alguma maneira, familiarizados foge da proposta de apresentar diferenciais competitivos.

Além disso, mostrar algo novo requer investimento em marketing. Por exemplo, se oferecessem algo como "suco de *salak*", você estaria disposto a comprar? A resposta normalmente é: "Depende, o que é isso?", "É gostoso?", "Faz bem?".

É preciso lembrar que, enquanto algumas pessoas adoram conhecer coisas novas, outras têm, a princípio, aversão ao que é diferente. Não queremos perder nenhuma potencial parcela do negócio. Dessa maneira, é preciso estabelecer um elo que possa interessar os clientes.

*Salak* é uma fruta bastante conhecida no sudeste asiático, principalmente na Tailândia e tem algumas propriedades interessantes. A fruta tem a capacidade de melhorar a visão e a digestão, fortalecer a cognição, fornecer energia, auxiliar na perda de peso e regular os níveis de açúcar no sangue. Também possui alto teor de fibras, proteínas, potássio, ferro, cálcio, fósforo, vitamina C e vitamina A, bem como diversos antioxidantes. É, ao mesmo tempo, doce, ácida e suculenta.

O *salak* passa a ser mais interessante agora, depois que conhecemos suas propriedades, e chama a atenção de uma diversidade de públicos, já que além de tomar um suco para se refrescar, os consumidores estarão cientes dos benefícios oferecidos. É mais ou menos isso o que aconteceu com o açaí presente em diversos produtos atualmente vendidos nos Estados Unidos.

O exemplo, embora específico, pode servir de modelo para vários negócios. Você pode ter um boteco simples ou um boteco que retrata o histórico do local onde está estabelecido. Pode exportar um chocolate ou um chocolate produzido em uma região única com características únicas. Pode ser interessante explorar a história e a cultura brasileira e conhecer em que os estrangeiros mais se interessam quando pensam em Brasil, dando foco para o seu segmento.

Existem, obviamente, várias outras estratégias de diferenciação, mas todas elas exigem investimento em desenvolvimento de produto e marketing, sempre com o foco no mercado-alvo, identificado o mais rentável para seus negócios.

"*Storytelling*" é uma estratégia utilizada em marketing para distinguir o negócio e despertar sentimentos positivos nos potenciais clientes.

O mundo atual está saturado de informações, e o que costuma ficar guardado são histórias que sensibilizam. É importante que elas traduzam fatos reais, ou seja, os motivos mais interessantes que fizeram sua empresa surgir.

Existem diversas maneiras e roteiros para desenvolver e apresentar *storytellings*, mas basicamente você pode contar de modo sintetizado como seu negócio foi criado, visando estabelecer empatia com o cliente. Agregue elementos únicos em relação a seus concorrentes.

O SEBRAE costuma ter oficinas e materiais sobre como desenvolver um *storytelling*. www.sebrae.com.br.

Se por um lado seus produtos ou serviços concorrem diretamente com outros no mesmo nicho de mercado, podem existir concorrentes não tão óbvios. É o que chamamos de concorrência indireta.

Nela, seus concorrentes atingem o mesmo perfil do público-alvo da sua empresa com produtos e serviços substitutos. Ou seja, a decisão do cliente não é apenas pela empresa ou marca de um determinado produto ou serviço, mas que tipo de serviço traria mais satisfação para ele.

Por exemplo, se sua empresa é fornecedora de proteína do soro do leite e tem como público-alvo praticantes de musculação, outros fabricantes desse mesmo produto constituirão sua concorrência direta.

Entretanto, se produtores de ervilhas fizerem ações de marketing mostrando as propriedades proteicas do grão a preços mais acessíveis, passam a ser uma concorrência indireta e que afetará a dinâmica do seu mercado.

Nem sempre é fácil prever a concorrência indireta e, em muitos casos é preciso explorar o que está por trás da necessidade do cliente quando ele procura o seu serviço.

Pesquisas de satisfação podem incluir perguntas do tipo: "Que benefício você procurava antes de nos encontrar?". Dessa maneira, você pode prever quais outras empresas fornecem o mesmo benefício!

Avaliação da concorrência (direta)
- ✓ Forneça uma pontuação de 0 a 3 a cada item da primeira coluna conforme o impacto no seu mercado. Para nenhum impacto use 0 e 3 para o maior impacto possível;
- ✓ Identifique os principais concorrentes para levantar informações e acrescente uma coluna para cada um deles;
- ✓ Avalie cada cliente e sua empresa conforme os itens. Você pode usar uma escala de 0 a 5 sendo 0 o pior cenário e 5 o melhor;

✓ Multiplique a pontuação de impacto de cada item pelo número relacionado às avaliações de cada empresa, incluindo a sua;
✓ Calcule a média de pontuação para cada item;
✓ Verifique em quais itens sua empresa teve atuações superiores e inferiores; e
✓ Estabeleça planos para melhorias nos itens inferiores e manutenção nos superiores.

Quando você consegue diferenciar os tipos de concorrência, bem como a maneira que podem impactar seus negócios, é possível desenvolver uma pesquisa de mercado focada, contendo informações relevantes e traçar estratégias de ação, o que gera economia de tempo e recursos.

| Empresas | Concorrente A | Concorrente B | Concorrente C | Sua Empresa | Impacto (0-3) | Avaliação (0-5) | Impacto x Avaliação |
|---|---|---|---|---|---|---|---|
| Identificar concorrentes | | | | | | | |
| Participação no mercado | | | | | | | |
| Preços | | | | | | | |
| Percepção da marca | | | | | | | |
| Tamanho da empresa (pequena, média, grande) | | | | | | | |
| Localização | | | | | | | |
| Vantagens competitivas (logística, inovação etc.) | | | | | | | |
| Tempo de atuação | | | | | | | |
| *Outros itens relevantes para sua empresa | | | | | | | |

## 8. GESTÃO, OPERAÇÕES E FINANÇAS DE NEGÓCIOS INTERNACIONAIS

Se você verificar o roteiro de um plano de negócios conforme apresentado anteriormente neste livro, perceberá que o título desta seção poderia estar dividido em três partes. Entretanto, como o foco aqui é a internacionalização, detalhar demasiadamente esses três assuntos poderia fugir do tema ou não atender às expectativas das várias modalidades de internacionalização, que pode ser desde um simples atendimento de balcão no Brasil até a instalação de uma unidade fabril em outro país.

Por esse motivo, vale justificar item a item:

✓ **Operações**: as operações variam demasiadamente se levarmos em consideração prestação de serviços, comércio, indústrias (e seus vários tipos de produtos), entre outros. Para a nossa intenção, é mais válida a operação de vendas internacionais que será detalhada mais adiante;

✓ **Finanças**: os aspectos financeiros de empresas pelo mundo afora seguem mais ou menos um padrão e o assunto merece grande destaque, o que não é o foco deste livro. Todavia, indicarei fontes de consulta sempre que possível. Além disso, a maior parte das operações que interagem com a área financeira da empresa está compreendida no capítulo seguinte; e

✓ **Gestão**: deverá compreender todo o plano de negócios e ter o aspecto "internacionalização em todas as funções gestoras". Por isso, foi deixada por último.

Conforme dito, as operações internacionais variam de negócio para negócio e tendem a demandar mais informações à medida que a forma de internacionalização tem maior envolvimento com mercados externos.

Uma maneira eficaz para compreensão do processo operacional é descrevê-lo a partir de fluxogramas com as partes (áreas internas e agentes externos) que interagem direta ou indiretamente com cada fase do fluxo.

É preciso ressaltar que as operações de empresas prestadoras de serviços são diferentes de empresas fabricantes de produtos. Além disso, o processo de venda internacional de produtos, ou seja, a exportação, possui fluxos específicos, o que é detalhado no próximo capítulo.

As operações situam-se entre o que chamamos de *inputs* e *outputs* da empresa.

*Inputs* são constituídos dos recursos empregados no negócio para o seu objetivo. Exemplos: dinheiro, matéria-prima, mão de obra, equipamento, informação etc.

*Outputs* são constituídos dos produtos e serviços do empreendimento. Exemplos: roupas, alimentos, restaurante, serviço de hotelaria etc.

Desse modo, as operações devem compreender itens como:
- ✓ **Fabricação e processamento**: descrição dos objetivos estratégicos da produção e/ou realização do serviço considerando as exigências do mercado;
- ✓ **Armazenagem**: quando a empresa trabalha com produtos, é importante que haja conhecimento sobre gestão de estoques;
- ✓ **Capacitação e treinamento**: aqui a interface é com os recursos humanos;
- ✓ **Projeto físico e localização**: mostra mapas, croquis e *layouts* da empresa, demonstrando como ela se organiza fisicamente;

- ✓ **Logística**: descreve de onde e como chegam os *inputs* no empreendimento e como e para onde vão os *outputs*. A logística internacional possui peculiaridades que serão abordadas no próximo capítulo; e
- ✓ **Controle de qualidade**: foca o melhor emprego dos recursos buscando a execução do que está previsto no planejamento.

Quando falamos de operações, principalmente internacionais, a escolha de fornecedores e parceiros é de grande importância para o sucesso no negócio. Deve-se levar em consideração, no mínimo, quais são os mais adequados ao seu modelo de negócio, a sua localização, sua capacidade produtiva, seus custos, prazos, qualidade, confiabilidade e se possibilitam entregas nos padrões dos mercados que sua empresa pretende atingir. Os fornecedores, embora não estejam no fluxo interno da empresa, fazem parte do processo que resultará no produto final e no *feedback* do cliente.

A gestão de negócios internacionais está entre os fatores-chave para o sucesso do empreendimento. Quanto mais envolvida a gestão estiver com os aspectos da internacionalização, mais chances de êxito existirão.

Os tomadores de decisão devem ser devidamente capacitados como profissionais e conhecer o plano e as operações do negócio, podendo conduzir o negócio a direções que possibilitam maiores ganhos.

Desse modo, a gestão torna-se o foco deste livro como um todo, uma vez que oferece ferramentas que possibilitam a capacitação e o gerenciamento de negócios internacionais.

Bases para a gestão de negócios internacionais:
- ✓ Mentalidade internacional (conteúdo do capítulo "Internacionalização de pessoas");
- ✓ Conhecer seu plano de negócios e considerar o fator internacional em seu planejamento;
- ✓ Conhecer as operações de vendas internacionais (caso sejam além-fronteiras).

Para que a gestão tenha um bom funcionamento, é importante definir um organograma e as funções de cada área, seus responsáveis e descrições. Isso auxiliará a identificação de como e em que áreas a internacionalização do negócio deve ocorrer.

Em empresas exportadoras brasileiras de médio e até grande porte é comum que a gestão internacional seja feita por um gerente de comércio exterior ou gerente de exportação. Frequentemente, esse gerente fica responsável pelas vendas do produto, tendo pouca ou nenhuma influência em aspectos essenciais do plano do negócio como marketing e operações (produção).

Essa pode ser uma estratégia da empresa. Todavia, não é uma estratégia que coloca o negócio como um todo no patamar internacional, principalmente quando os produtos são de consumo. Comumente a gestão internacional se torna refém de um planejamento direcionado ao mercado interno, vendendo excedentes de produção. Sob o ponto de vista estratégico de *marketing*, existe aí um risco, já que as vendas contam mais com a questão de preço e inexiste uma preocupação com o consumidor final.

Assim sendo, para que o negócio se internacionalize, é importante que o aspecto internacional faça parte de todas as esferas do organograma da empresa, em algumas mais, em outras menos, o que dependerá do tipo de negócio e de seu planejamento estratégico.

É possível que uma área seja responsável pela internacionalização, desde que tenha autonomia e participação do planejamento estratégico, prevendo interações com as demais áreas. Essa relação pode trazer *inputs* para inovação e desenvolvimento de diferenciais competitivos, até mesmo para o mercado interno.

Entre eles, destacam-se:

- **Inovação de produto**: desenvolvimento de produtos ou serviços com características que fazem sucesso em outros mercados e podem ser uma oportunidade no Brasil. Exemplo: ingredientes, componentes, materiais, insumos, atendimento, apresentação etc.;
- **Inovação de processos**: conhecimento de processos que melhoram indicadores e percepção de valor do produto. Exemplo: uso de tecnologia, revitalização de modelos antiquados, métodos de controle mais eficazes, melhora na logística etc.;
- **Inovação nos recursos humanos**: desenvolver pessoas para que estejam adaptadas e no mesmo patamar de mercados mais maduros, permitindo melhor relacionamento com *stakeholders* e impactando diretamente na internacionalização do negócio. Exemplo: investir em conhecimento de cultura e mercado externo, desenvolver técnicas de relacionamento intercultural, promover *brainstormings* para melhorar a imagem do negócio para patamares internacionais; e
- **Inovação em marketing**: aproveitamento das informações obtidas nos mercados externos para o desenvolvimento de ações com impacto no *marketing mix*: preço, produto, praça e promoção.

## Processo decisório sobre internacionalização do negócio

Com base no conteúdo de um plano de negócios:
- ✓ Mapeie as áreas da sua empresa. Se houver necessidade de mudanças, inclua no mapeamento;
- ✓ Avalie como cada área do organograma pode se envolver com o assunto internacionalização de maneira que impacte positivamente os objetivos pretendidos;
- ✓ Avalie cada cliente e sua empresa conforme os itens. Você pode usar uma escala de 0 a 5 sendo 0 o pior cenário e 5 o melhor e mensure o nível de importância de cada área para a internacionalização diante da situação atual do negócio e os desafios previstos;
- ✓ Elenque todas as vantagens a curto e a longo prazo;
- ✓ Elenque possíveis desvantagens e perdas, considerando recursos e adaptações necessárias;
- ✓ Nomeie qual o responsável pela internacionalização. O profissional deve ser capacitado, ter conhecimento técnico, boa circulação entre as áreas e boa relação com os *stakeholders* da empresa; e
- ✓ Defina ações e recursos necessários, traçando uma previsão de retorno dos investimentos.

| Áreas | Qual o envolvimento | Nível de importância | Vantagens e ganhos | Desvantagens e perdas | Quem é o responsável | Ações necessárias | Recursos necessários |
|---|---|---|---|---|---|---|---|
| Alta gestão (proprietário ou presidente) | | | | | | | |
| Recursos humanos | | | | | | | |
| Administrativo e financeiro | | | | | | | |
| Produção | | | | | | | |
| Vendas | | | | | | | |
| Marketing | | | | | | | |
| Operações | | | | | | | |
| Outros (conforme seu organograma) | | | | | | | |

O SEBRAE possui diversos materiais e ferramentas de gestão e finanças. Acesse documentos atualizados na área de busca do *website*: www.sebrae.com.br.

**CAPÍTULO 5**

# Internacionalização operacional de produtos

Quando pensamos em internacionalizar as vendas de uma empresa, é preciso ter em mente as etapas triviais para seu sucesso e incluir nelas as peculiaridades existentes no ambiente internacional. Significa detalhar como funciona a operação exportadora, seja ela direta (realizada pela própria empresa) seja indireta (quando o processo é terceirizado).

# 1. PROCESSO DE VENDA ADAPTADO AO PÚBLICO INTERNACIONAL

## 1.1. Prospecção

O ponto central dessa etapa é mapear as oportunidades de mercado existentes para sua empresa com o objetivo de prospectar clientes, fechar novos negócios e fazer uma pesquisa de campo. Essa etapa deve ser baseada em uma pesquisa de mercado.

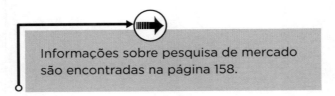

Informações sobre pesquisa de mercado são encontradas na página 158.

## 1.2. Aproximação

Uma vez identificado o cliente e que ele faz parte de um grupo potencial de compras, é necessário que se faça uma aproximação adequada de maneira que seja confortável para ele. Assim, é essencial que se leve em consideração os aspectos culturais envolvidos.

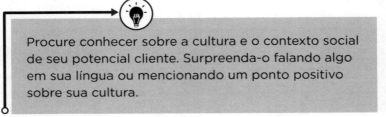

Procure conhecer sobre a cultura e o contexto social de seu potencial cliente. Surpreenda-o falando algo em sua língua ou mencionando um ponto positivo sobre sua cultura.

Consciente de como seu cliente tende a comportar-se culturalmente e adaptando o discurso em relação a ele, é o momento de fazer uma apresentação, conhecê-lo melhor e dar motivos legítimos para que você demonstre seus produtos.

Com as devidas cautelas e respeito às diferenças culturais, é recomendável mostrar-se curioso em relação ao cliente e às suas atividades para depois apresentar como sua oferta poderia ajudar.

Além dos aspectos culturais, leve em consideração as características pessoais do seu interlocutor e o papel que exerce no processo de compra. Segundo Philip Kotler (1996, p. 174), os compradores possuem cinco papéis relacionados à decisão de compra:

- Iniciadoras: são as pessoas que sugerem a compra;
- Influenciadoras: são as pessoas cujas opiniões incentivam a compra;
- Tomadoras de decisão: são aquelas que dão a palavra final e em que termos será feita a compra;
- Compradoras: são as que operacionalizam o processo; e
- Usuárias: são aquelas que se beneficiarão do produto ou serviço comprado.

Uma pessoa pode assumir mais de um papel ou até mesmo todos eles.

## ■ 1.3. Identificação de necessidades

Existe aqui uma semelhança bastante expressiva com o processo de coaching, já que, a partir das necessidades do cliente, parte-se do estado atual e se pretende chegar ao estado desejado.

Assim, é importante conhecer a situação atual de seu cliente, se está bem financeiramente, quem toma a decisão de compra, qual sua verdadeira demanda etc. Esse primeiro momento deve ser breve e discreto.

Depois, é importante identificar qual é o problema ou a necessidade do cliente que seu produto poderia solucionar. Se ele já tem algum fornecedor, verifique qual seria sua vantagem competitiva em relação a ele e apresentá-la pode ser eficaz.

Por último, é recomendável apresentar seu produto ou serviço como uma solução para a necessidade do seu cliente. Ser específico em relação à maneira em que as necessidades ou os desejos serão atendidos pode ajudar.

## ■ 1.4. Oferta de valor

O termo "valor" aqui se refere àquele percebido pelo cliente e não por você ou sua empresa. É por isso que as etapas anteriores serão a base para mensurar o valor que seu cliente vislumbra na sua oferta e o que ele mais preza.

A oferta é o momento de criar algo que supere as expectativas do cliente a partir daquilo que ele mais estima. A ênfase deve ser dada ao aspecto valorizado do seu produto ou serviço.

Itens que podem agregar valor são elementos comprobatórios de qualidade ou eficácia da solução apresentada, demonstração de casos de sucesso, comparações reais e tratativa personalizada.

Evite partir de valores muito baixos ou muito altos e focar descontos, a não ser que esse ponto seja importante na cultura de seu cliente.

## ■ 1.5. Negociação

Esse é o momento de construir um acordo em relação à proposta de valor. A negociação está entre as etapas que mais dependem do conhecimento acerca do universo cultural do cliente. Compreendê-la anteriormente é imprescindível. Podem ser estudadas a história da sociedade, as dimensões culturais de Hofstede, além de regras e costumes específicos. Eles devem ter influência em aspectos mencionados por Frank L. Acuff (1997), como:

- **Uso do tempo**: há sociedades, como a norte-americana e a norte-europeia, que costumam ser pontuais. Outras, como a dos latinos e dos árabes, costumam ser mais flexíveis com o tempo. Além disso, é preciso saber quanto tempo normalmente dura a negociação até que se tome uma decisão;

- **Individualismo x coletivismo**: compradores de sociedades mais individualistas como a norte-americana e a britânica tendem a ter mais autonomia para tomar decisões, enquanto sociedades mais coletivistas como a japonesa e a tailandesa, por exemplo, dependem de mais pessoas para isso;
- **Estabilidade**: culturas que valorizam a estabilidade geralmente prezam pela maneira de como a comunicação é conduzida, com ênfase na harmonia e na serenidade. Isso acontece em países da orla do Pacífico, em oposição à cultura norte-americana, por exemplo;
- **Padrões de comunicação**: há culturas que focam os detalhes das condições contratuais, enquanto outras valorizam a eloquência e a maneira de falar, como é o caso do Brasil e de alguns países árabes. Já culturas germânicas tendem a ser mais atentas aos aspectos do negócio tal como está no papel.
- **Interpretações sígnicas**: praticamente tudo o que está presente no momento da negociação está sujeito a interpretações que podem ou não influenciar o que o seu interlocutor sente, tendo impacto no sucesso dos negócios. Gestos, palavras, ritmo da fala, cores, ambiente, tempo, entre outros, geram um conjunto sígnico a produzir um efeito na mente do cliente que pode ser negativo ou positivo.

Previna conflitos, já que estes constituem grande parte das negociações malsucedidas. Uma vez identificado um conflito, é importante desfazê-lo de maneira satisfatória.

Nem sempre é fácil perceber que seu interlocutor não está de acordo com o que está sendo dito. Algumas culturas orientais, por exemplo, podem até mesmo sorrir discretamente em situações embaraçosas, o que é bastante sutil ou até imperceptível a nós, ocidentais.

## ■ 1.6. Compromisso

Muitos negócios tendem a falhar por mau atendimento ou por má qualidade de produtos ou serviços. É importante estar ciente das expectativas do cliente internacional e o tipo de qualidade de produto e atendimento com que está habituado.

Durante minha atuação no desenvolvimento de negócios para o Brasil, tive a oportunidade de receber muitos *feedbacks* de empresários estrangeiros sobre empresas brasileiras. Entre as maiores reclamações, quase sempre estiveram a dificuldade de encontrar informações em inglês sobre os produtos ou de serem atendidos em inglês. Outra, também frequente, é a de que muitas empresas brasileiras não retornavam as solicitações de informações sobre seus produtos.

Existem empresas concorrentes com culturas bastante agressivas comercialmente, o que acaba por colocar muitas organizações brasileiras em desvantagem nesse aspecto. É preciso ter plataformas de atendimento que gerem conforto, satisfação e boa impressão para o cliente internacional.

É muito relevante compreender o nível de compromisso que o cliente deseja e como isso pode ser melhor demonstrado a ele. Haverá clientes que preferem contato verbal. Haverá outros que preferem elementos tangíveis, como relatórios ou exatidão no cumprimento do contrato. É importante ser flexível, mas sempre dentro de parâmetros de segurança predefinidos por sua empresa.

## ■ 1.7. Pós-venda

Uma venda bem-sucedida nas etapas anteriores tem grandes chances de se tornar um relacionamento duradouro e frutífero. Todavia, é sempre importante manter contato, demonstrando preocupação sincera com a satisfação do cliente.

Fazer visitas, telefonemas e outras ações para manter um contato assiduamente agradável faz parte da estratégia.

O pós-venda também é importante para gerar uma inteligência interna para os negócios. Para tal, pode-se examinar:
- Volume e qualidade de vendas;
- Ticket médio; e
- Taxa e tempo de conversão em negócios.

Faça o exercício de cruzar as informações por país e cultura e relate motivos para o sucesso ou insucesso de suas ações, adotando estratégias de negociação bem-sucedidas.

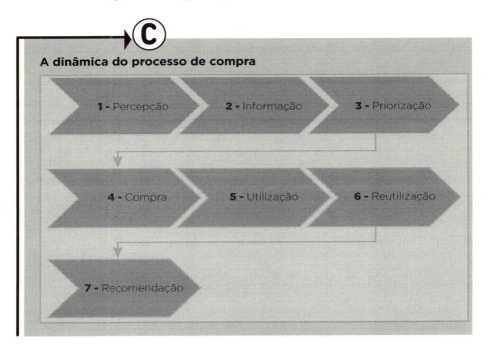

> Usando a mesma lógica do processo de venda apresentado, procure responder às questões a seguir levando em consideração a cultura e as peculiaridades do seu público-alvo:
> 
> **1 –** Como você pode chamar a atenção dos seus potenciais clientes?
> **2 –** Como informá-los sobre o seu produto ou serviço com a quantidade e a qualidade de dados necessários?
> **3 –** O que colocará seus produtos ou serviços como prioridade e fará com que o cliente os adquira?
> **4 –** Como tornar o processo de compra o mais fácil, desburocratizado e simples possível?
> **5 –** Qual é a experiência que seus clientes têm ou deverão ter depois da compra?
> **6 –** Como fazer com que seus clientes voltem a comprar?
> **7 –** Como fazer com que seus clientes, voluntariamente, recomendem seus produtos?

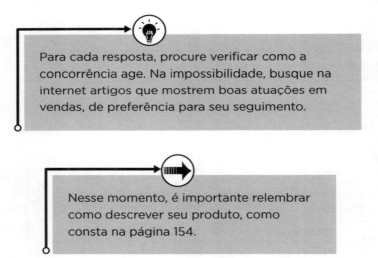

Para cada resposta, procure verificar como a concorrência age. Na impossibilidade, busque na internet artigos que mostrem boas atuações em vendas, de preferência para seu seguimento.

Nesse momento, é importante relembrar como descrever seu produto, como consta na página 154.

## ■ 2. OPERAÇÃO DA VENDA INTERNACIONAL

O processo de vendas internacionais, ou exportação, possui peculiaridades, uma vez que os produtos cruzam fronteiras e contribuem para o desenvolvimento econômico de um país.

Dessa maneira, existem alguns padrões e formalidades a serem seguidos que, de início, podem parecer complexos, mas que se tornam simples quanto mais se pratica –, como quase tudo na vida.

Apresentaremos o processo de maneira simplificada, como se fosse o de uma venda comum, sem deixar de mencionar o que é necessário para uma empresa conhecer sobre as operações de exportação.

Um dos aspectos mais importantes para compreendermos o processo é conhecer o que cada etapa da venda pode requerer, como documentos, interação com organizações, além de conhecimento específico relacionado à internacionalização operacional de produtos, ou seja, exportação.

Com isso em vista, apresentarei um fluxograma com as etapas do processo de exportação. Em cada etapa indicarei, por meio de ícones, se é necessário produzir um documento, interagir com alguma organização ou obter algum conhecimento específico. Os ícones que serão apresentados em cada etapa são:

**Conhecimento específico**
Sempre que este ícone aparecer no fluxo, indica que é necessário conhecer informações específicas do processo de exportação. Essas informações serão fornecidas no tópico "Conhecimento específico", apresentado após o fluxograma. Assim como nos demais ícones, cada conhecimento essencial terá um número correspondente ao apresentado no tópico.

**Organizações**
Do mesmo modo, quando esse ícone aparece em alguma etapa do fluxo, indica que é necessária a interação com alguma organização. Ele também terá um número posicionado no lugar do "N" e será explicado no texto seguinte cujo título é "Organizações".

**Documentação**
Por último, esse ícone indica que algum documento é necessário na etapa em que se encontra. Como existe mais de um documento no processo, cada um será indicado com um número que aparecerá no lugar da letra "N". A explanação sobre ele estará no conteúdo sob o título "Documentação", apresentado após o fluxograma, com o número correspondente;

## ■ 2.1. Fluxograma de exportação

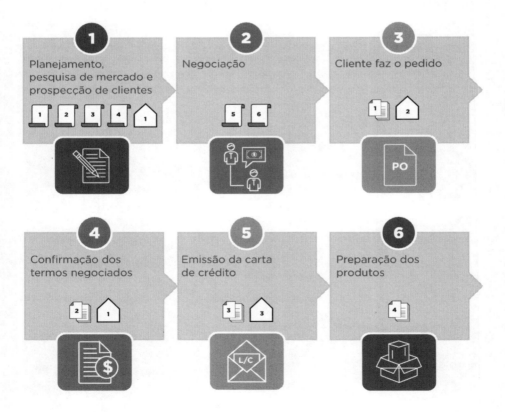

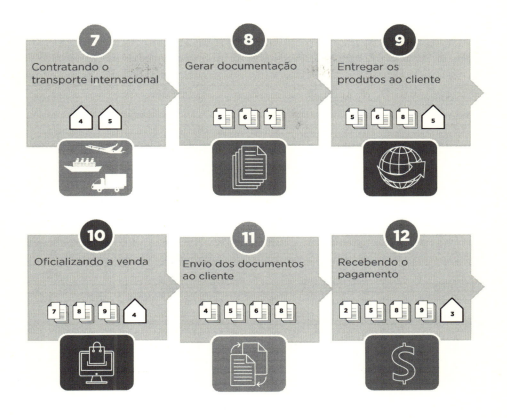

## 2.2. Compreendendo as etapas

 **Planejamento, pesquisa de mercado e prospecção de clientes**
*Pode durar meses ou anos*

O primeiro momento é o planejamento pela empresa vendedora, o exportador. Entre as maneiras mais indicadas para fazê-lo, adotar um modelo de plano de negócios para maximizar as possibilidades de sucesso é uma boa opção. Há sempre de se prever riscos.

O planejamento deve conter uma pesquisa de mercado minimamente detalhada para os objetivos da empresa pensando no *marketing mix* e na relação custo-benefício das vendas internacionais no modelo planejado.

Na fase do planejamento das exportações, procure atentar para os itens de um plano de negócios, incluindo pesquisa de mercado. Verifique a página 158.

Consulte os setores de promoção comercial do Brasil no mercado externo onde deseja atuar para obter informações sobre aspectos legais e especificidades que possam interferir na venda de seus produtos. Listas de potenciais clientes também podem ser obtidas no *website* investexportbrasil.dpr.gov.br.

Existem várias maneiras de prospectar clientes no exterior. Feiras internacionais, rodadas de negócios, consultas a representações diplomáticas brasileiras e até redes sociais profissionais. O importante é sempre ter em mente um plano de comunicação, identificar de onde é o parceiro e buscar saber sobre sua idoneidade antes de iniciar a fase da negociação.

Antes de iniciar uma negociação, procure conhecer seu cliente:
- ✓ Onde se situa fisicamente;
- ✓ Verifique seus *websites* e como as informações são apresentadas;
- ✓ Confira sua rede de contatos; e
- ✓ Se possível, verifique sua idoneidade com órgãos especializados. As representações diplomáticas brasileiras podem auxiliar nesse sentido.

Procure as informações necessárias sobre a cultura do mercado onde deseja atuar. As qualificações necessárias para a internacionalização pessoal podem ser obtidas na página 75.

### Negociação
*De semanas a anos, dependendo da cultura*

Esse é o momento de seguir o processo de venda adaptado ao público externo, respeitando seus aspectos culturais conforme abordado no capítulo 3.

Além disso, outras definições importantes devem ser negociadas pelo exportador:
- Preço;
- Quantidade;
- Responsabilidades (transporte, seguro); e
- Modalidade de pagamento (neste livro apresentaremos como exemplo uma operação de exportação por meio de carta de crédito, também conhecido por sua versão em inglês como *Letter of Credit*).

Para aumentar as chances de uma negociação eficaz, procure conhecer sobre a cultura do mercado local e seguir os passos indicados no processo de venda adaptado ao público internacional, conforme demonstrado na página 204. Explicações sobre as demais definições importantes podem ser consultadas seguindo o esquema de ícones apresentados nesse fluxo operacional.

### O cliente faz o pedido
*Poucos dias*

A partir desse momento, o detalhamento do fluxo começa a se apresentar mais simples devido à tendência de seguir um padrão. Podem existir algumas diferenças se as exportações estão sendo realizadas de maneira direta ou indireta, ou ainda dependendo da modalidade de pagamento escolhida.

Para efeito de explanação, vamos assumir que esse processo seja uma exportação direta, quer dizer, sua empresa está exportando sem a contratação de um terceiro para a realização da operação, sem a utilização de uma *trading company*. E o importador é um varejista, que executará toda a internação de forma direta.

Tendo alinhado esse aspecto, a fase 3 é caracterizada pela formalização do pedido pelo comprador (importador), o que é conhecido internacionalmente como *Purchase Order* (pedido de compra). Ele deve respeitar os termos negociados.

É possível que o vendedor (exportador) encaminhe os termos e o comprador (importador) confirme dando um aceite. Hoje em dia, essa operação é realizada através de *e-mails*.

### Confirmação dos termos negociados
*Um dia*

Para que fiquem claros e formalizados os termos negociados, o vendedor (exportador) emite um documento chamado de *Proforma Invoice* (fatura proforma) e o encaminha para o comprador (importador).

### O cliente faz o pedido
*Um dia*

Como a modalidade de pagamento pode interferir na sequência do fluxo operacional, assumimos que, para esse processo, a modalidade de pagamento seja a carta de crédito, também conhecida em sua versão em inglês como *Letter of Credit* e abreviada como L/C.

Ela é normalmente recomendável nas primeiras operações de vendas internacionais uma vez que é considerada uma das maneiras mais seguras de operar vendas e pagamentos internacionais.

A carta de crédito é negociada pelo importador com seu banco, que a emitirá e enviará ao banco do exportador. Essa operação costuma durar sete dias. Quando o exportador receber a carta de crédito pelo seu banco, ele deverá analisá-la para conferir os termos negociados e dar o seu aceite no documento.

### Preparação dos produtos
*Prazo variável*

A empresa vendedora (exportadora) prepara a mercadoria com as especificações de quantidade, qualidade, linguagem e design acordadas anteriormente (fase 2 desse fluxo) e com a embalagem adequada ao mercado externo. O prazo para finalização dessa etapa varia de acordo com o sistema produtivo do exportador.

### Contratando o transporte internacional
*Poucos dias*

A negociação e a contratação de transporte internacional serão executadas de acordo com o responsável por tal atividade, conforme negociado anteriormente (fase 2 desse fluxo). Essa definição de responsabilidade é tratada a partir dos INCOTERMS – *International Commercial Terms* (Termos Comerciais Internacionais).

Os INCOTERMS são normas padronizadas que regulam aspectos do comércio internacional. O assunto será detalhado nos conhecimentos específicos.

O transporte internacional é operacionalizado por empresas chamadas de agentes de carga, ou em sua versão em inglês, de *freight forwarders*.

O responsável pela contratação do transporte também pode negociar o trânsito dos produtos diretamente com companhias marítimas, aéreas ou rodoviárias, mas nas primeiras operações de internacionalização sugerimos a contratação do transporte por um agente de carga.

Uma dica importante é a contratação do seguro internacional. Dependendo do INCOTERM escolhido para realizar a operação, o exportador fica sujeito a um risco na operação, uma vez que o importador pode não segurar os produtos em determinada etapa do transporte. Por esse motivo, é prudente contratar o seguro internacional até o momento em que há a transferência de responsabilidade do exportador ao importador. Agentes de carga possuem parcerias com seguradoras internacionais e podem ajudar empresas iniciantes no processo de internacionalização.

**Gerar documentação**

*Poucos dias*

Com o produto pronto na expedição da empresa, iniciamos a emissão dos documentos que acompanharão os produtos até o comprador (importador). Nesse momento, o exportador gera a *Commercial Invoice* (fatura comercial) e o *Packing List* (romaneio de carga).

Também é emitida a nota fiscal de venda de exportação, documento que não é entregue ao comprador (importador) em uma operação internacional.

É importante ressaltar que detalhes expressos na carta de crédito, ou seja, na negociação realizada, devem ser observados na emissão da documentação de exportação, questões como quantidade de vias da fatura comercial, preço dos produtos, quantidade, pedido completo e detalhamento de como os produtos estão embalados são alguns exemplos.

Dependendo do tipo de produto a ser vendido e/ou do mercado que estará recebendo o produto, o exportador deverá emitir outros documentos, tais como certificados de origem, certificados fitossanitários, declarações de livre consumo, entre outros.

**Entrega dos produtos ao cliente**

*Prazo variável de acordo com o INCOTERM adotado na operação*

Definimos que entregamos os produtos ao cliente (importador) de acordo com o INCOTERM negociado na fase 2 do fluxo, ou seja, se a responsabilidade do transporte internacional é do vendedor (exportador), a entrega ao importador se dará no seu porto de chegada, no país de destino.

Em operações internacionais, a nomenclatura "porto" refere-se a qualquer espaço físico onde ocorra a transferência de carga do exportador ao importador, portanto "porto" pode se referir ao Porto de Dubai nos Emirados Árabes Unidos, ao Aeroporto de Frankfurt na Alemanha, fronteira de Uruguaiana entre o Brasil e a Argentina, entre outros.

No momento do transporte internacional dos produtos, o agente de carga ou a companhia marítima, aérea ou rodoviária emitirá o conhecimento de transporte. Quando o meio de transporte é marítimo, chamamos de *Bill of Lading* (B/L) o conhecimento de transporte. Para o modal aéreo, Airway Bill (AWB) e para o rodoviário Conhecimento Rodoviário de Transporte (CRT).

Vale ressaltar que um conhecimento de transporte nacional pode ser emitido para transitar com os produtos da empresa vendedora até o local que se realizará o processo de exportação por um fiscal da Receita Federal.

Os canais de liberação aduaneira são:
- Verde: a exportação é dispensada de exame documental e físico;
- Amarelo: é realizado apenas o exame documental da exportação; e
- Vermelho: a carga é verificada e há exame documental.

## 10 Oficializando a venda (exportação)
*Poucos dias*

O processo de exportação inicia-se com o registro desta e o desembaraço aduaneiro no Sistema Integrado de Comércio Exterior (SISCOMEX). Esse processo é realizado pelo despachante aduaneiro, contratado anteriormente pelo vendedor (exportador). É importante comentar que o exportador deverá apresentar pelo menos uma via original da fatura comercial e do romaneio de carga ao despachante, além de uma cópia ou rascunho do conhecimento de transporte da carga.

O processo se inicia quando ocorre a confirmação da presença dos produtos na área aduaneira da Receita Federal. Esta pode ser um aeroporto internacional, porto marítimo, fronteira entre o Brasil e os seus vizinhos ou um armazém aduaneiro, também conhecido como "porto seco", que são empresas homologadas pela Receita Federal para realizar operações internacionais.

A liberação dos produtos para exportação, também conhecido como "desembaraço aduaneiro", será iniciada após análise do fiscal da Receita Federal do Brasil, de acordo com o canal de liberação da carga, que será verde, amarelo ou vermelho.

**Envio dos documentos ao cliente (importador)**
*Um dia*

Os documentos da exportação (fatura comercial, romaneio de carga, certificados exigidos no momento da negociação e o conhecimento de transporte) devem ser entregues ao comprador (importador). Para os modais aéreo e rodoviário, a documentação segue com a carga, mas, para o modal marítimo, o exportador deve encaminhar os documentos por meio de uma empresa *courier*.

É importante comentar que o envio dos documentos da exportação deve respeitar o exposto na carta de crédito. Qual o prazo máximo do envio dos documentos? Quantas vias devem ser enviadas? Os documentos devem acompanhar a carga ou serem entregues no banco do exportador ou do importador?

A fim de obter um *feedback* da operação de venda internacional, o exportador deve contatar o importador agradecendo o negócio e informando do envio dos documentos originais

**Recebendo o pagamento**
*Um dia*

O recebimento de uma venda internacional tem o nome de liquidação de câmbio. No prazo acordado na negociação, fase 2 desse fluxo, o importador contata o seu banco e efetua o pagamento da operação. Nesse momento o banco do importador contata o banco do exportador, que confirma o recebimento da exportação.

Para o exportador receber os reais da venda, deverá entregar uma cópia da documentação de exportação ao banco e negociar a taxa de câmbio para a transferência do valor da operação para a conta da empresa no Brasil.

É importante ressaltar que, na operação via carta de crédito, os bancos analisarão se todos os requisitos foram cumpridos e somente após essa análise os recursos serão liberados do importador ao exportador.

### ■ 3. CONHECIMENTO ESPECÍFICO

#### ■ 3.1. Conhecimento específico 1: financiamentos à exportação

As empresas que desejam exportar podem ter um apoio extra em relação ao financiamento. Entre as principais instituições que oferecem esse benefício estão o Banco Nacional de Desenvolvimento Econômico e Social (BNDES) e o Banco do Brasil.

Os financiamentos têm formatos diferentes e variam conforme a necessidade do exportador. Os mais comumente usados são:
- Adiantamento sobre Contrato de Câmbio (ACC): consiste de um adiantamento de recursos em reais ao exportador para a realização de uma futura venda internacional;

- Adiantamento sobre Cambiais Entregues (ACE): consiste de um adiantamento de recursos em reais ao exportador após o embarque das mercadorias.

> Tanto o ACC quanto o ACE podem ser realizados por qualquer banco homologado. A maioria dos bancos brasileiros oferece esses adiantamentos. É recomendável conhecer as exigências, as taxas e os procedimentos com antecedência.

- EXIM: é um benefício tanto para exportadores quanto para importadores e é concedido pelo BNDES por meio de bancos homologados. Aos exportadores, ele oferece dois formatos distintos, um com foco no financiamento da produção e outro ligado à venda internacional. Mais informações podem ser obtidas com os bancos.
- Programa de Financiamento às Exportações (PROEX): o programa tem como foco o financiamento de exportações brasileiras no momento da comercialização. Ele é operacionalizado pelo Banco do Brasil e possui taxas de juros diferenciadas.

> Informações detalhadas sobre os financiamentos destinados a empresas exportadoras constam dos *websites*:
> Banco do Brasil: www.bb.com.br
> BNDES: www.bndes.gov.br
> Para acessar as informações, digite "exportação" no mecanismo de busca dos sites.

## 3.2. Conhecimento específico 2: exportação de baixo volume – Exporta Fácil

Algumas empresas, principalmente aquelas que estão iniciando o processo de exportação, não têm volume suficiente para justificar uma exportação direta, o que exige interação com as diversas organizações que fazem parte de um processo ordinário de vendas internacionais.

Para esses casos, existe no Brasil o sistema Exporta Fácil, operacionalizado pelos Correios e algumas empresas *courier*. Ele dispensa a necessidade das empresas possuírem registro na Receita Federal para operarem no comércio internacional – o RADAR, além de simplificar o envio das mercadorias, transformando uma operação de exportação tal como um envio de mercadoria entre os estados brasileiros.

Esse sistema oferece vantagens a empresas que exportam baixos volumes, já que é menos burocrático e o custo de frete costuma ser mais acessível. Mesmo assim, alguns documentos precisam ser providenciados, como a nota fiscal de venda de exportação, a fatura comercial e o romaneio de carga. Além deles, o conhecimento de transporte aéreo (AWB) será emitido com base nas informações prestadas pelo exportador no momento da entrega da carga aos Correios ou empresas *courier*.

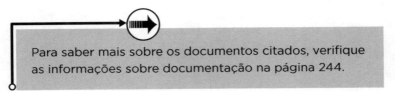

Para saber mais sobre os documentos citados, verifique as informações sobre documentação na página 244.

Para as vendas via Exporta Fácil, existem condições necessárias que definem valores, volumes e dimensões máximas permitidas, além de restrições e proibições de alguns tipos de produtos. Como essas informações podem variar ao longo do tempo, é importante consultar a empresa que realizará a operação.

Os Correios possuem informações sobre os quesitos e as restrições para o Exporta Fácil, além de um guia sobre o seu funcionamento. Para acessar, basta usar o mecanismo de busca do *website* dos Correios com os termos "Exporta Fácil": www.correios.com.br.

## 3.3. Conhecimento específico 3: descrevendo produtos globalmente

Se o comércio internacional é de interesse de empresas e governos do mundo todo, imagine como seria difícil descrever todos os produtos que entram e saem de um país e contabilizá-los. Existe uma grande variedade de produtos com uso, componentes ou ingredientes, características físicas diversos.

A solução dada foi a criação da classificação tarifária de cada produto, ou, em inglês, *Harmonized Commodity Description and Coding System* (Sistema Harmonizado de Descrição e Codificação de Mercadorias), muitas vezes abreviado em *Harmonized Code*. Classificando as mercadorias a partir de números, elas e suas características podem ser compreendidas globalmente, além de que se resolve a questão de contabilizar o quanto foi exportado e importado de cada produto.

As classificações tarifárias possuem oito dígitos e são divididos de dois em dois. Os dois primeiros dígitos referem-se ao que consiste da descrição mais genérica do produto. Por exemplo, o número 02 é descrito como carnes e miudezas.

Na sequência, temos a posição que dará uma descrição mais específica do produto. No mesmo exemplo de carnes, temos a posição 0201 descrita como "Carnes de animais da espécie bovina, frescas ou refrigeradas", 0202 como "Carnes de animais da espécie bovina, congeladas" e assim o capítulo 02 vai sendo subdividido em várias posições. O da terceira sequência de dois números consiste das subposições dentro das posições. Por exemplo, 0201.10 são descritas como "carcaças e meias-carcaças".

Portanto, a partir desse código, o produto será descrito e classificado mundialmente como "carcaças e meias-carcaças de carnes de animais da espécie bovina, congeladas". Cada país saberá do que se trata em suas línguas e poderá contabilizar o que foi exportado ou importado por capítulo, posição e subposição. A mesma lógica é usada a todos os demais produtos.

Já os dois últimos dígitos correspondem a classificações mais específicas e são restritas aos diversos países e blocos comerciais, onde cada região especifica determinadas características para classificar certos produtos, dando códigos diferentes para aqueles de potência, tamanho, tipo, cor e forma variados. No nosso caso, os dois últimos dígitos são específicos do Mercosul, ou seja, não são usados globalmente.

O entendimento da classificação aduaneira de produtos pode ser ilustrado a partir da imagem a seguir. Vamos usar o "X" como representante de qualquer número de 0 a 9.

*Sem fronteiras para o sucesso!*

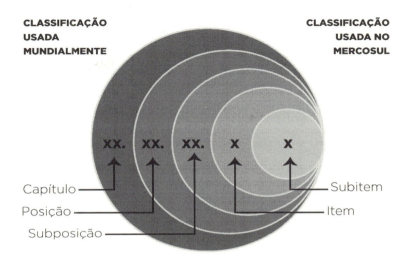

A classificação dos produtos usa os seis primeiros dígitos do código harmonizado, utilizado mundialmente, mais os dois últimos dígitos, mais detalhados, usados no Mercosul. Eles são chamados de Nomenclatura Comum do Mercosul, abreviada como NCM.
A classificação incorreta das mercadorias em documentos usados nas operações internacionais poderá acarretar penalidades administrativas e/ou multas.

Com o advento da Nota Fiscal Eletrônica nas operações de venda e compra de mercadorias dentro do Brasil, os departamentos fiscais das empresas tiveram que se adaptar e classificar todos os seus produtos de acordo com a NCM. Dessa forma, o conhecimento da classificação tarifária de mercadorias no Brasil, antes restrita aos departamentos de comércio exterior ou vendas internacionais, passou a ser de comum conhecimento nas áreas administrativas das empresas.

Informações sobre a classificação de produtos, conforme a NCM, podem ser obtidas no *website*: investexportbrasil.dpr.gov.br.

## 3.4. Conhecimento específico 4: habilitação para atuar em comércio exterior

Toda empresa que deseja atuar no comércio internacional, seja com exportação seja com importação, precisa de um registro específico conhecido como RADAR. É ele que habilitará a empresa a operar no SISCOMEX.

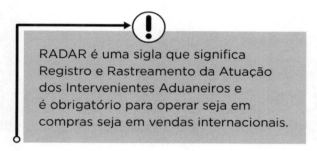

RADAR é uma sigla que significa Registro e Rastreamento da Atuação dos Intervenientes Aduaneiros e é obrigatório para operar seja em compras seja em vendas internacionais.

Para ter esse registro ou essa habilitação, sua empresa necessita apresentar a documentação exigida pela Receita Federal. É solicitado o preenchimento de uma ficha cadastral e documentos de comprovação de existência, idoneidade, além de evidências de que se está em dia com o pagamento de impostos.

A Receita Federal tem informações sobre a habilitação em seu *website*. Basta digitar "Manual de Habilitação no Siscomex" na ferramenta de busca do *website* do órgão: http://receita.economia.gov.br.

Com o advento da Declaração de Débitos e Créditos Tributários Federais (DCTF) que os departamentos contábeis e fiscais das empresas precisam prestar mensalmente à Receita Federal, a habilitação no sistema Radar ficou mais fácil de ser obtida.

## ■ 3.5. Conhecimento específico 5: definindo direitos e obrigações na operação

No momento da negociação com o comprador estrangeiro, é importante definir quais são os direitos e as obrigações de cada parte no que tange às operações desde a saída da mercadoria da fábrica do vendedor até a entrega no endereço do destinatário. Isso envolve pensar em transporte interno, transporte internacional, seguro nacional e internacional, cruzar as fronteiras e principalmente: em que lugar e momento a entrega da mercadoria deixa de ser responsabilidade do exportador e passa a ser do importador.

Seria muito complexo ter de pensar todos os pontos, negociar cada um deles com o importador e deixar tudo por escrito e registrado tentando contemplar imprevistos. Por isso, a *Chambre de Commerce Internationale* (Câmara de Comércio Internacional), sediada na França, com base no direito internacional, criou um sistema que facilita a determinação dos direitos e deveres das partes envolvidas no processo de compra e venda.

Assim, a câmara criou os INCOTERMS, que consistem de uma sigla que aponta as responsabilidades de cada uma das partes na negociação, ou seja, quem efetivamente vai arcar com cada custo pertinente ao processo logístico de transporte das mercadorias.

Desse modo, os INCOTERMS representam uma enorme facilidade no momento da negociação.

A Câmara de Comércio Internacional possui unidades em diversos países, incluindo o Brasil. Para obter mais informações sobre a unidade brasileira, acesse o *website*: www.iccbrasil.org.
O *website* da unidade principal na França é: www.iccwbo.org.

Os INCOTERMS são divididos nos Grupos E, F, C e D, que correspondem à letra que inicia a sigla, como segue:
E: quando a responsabilidade sobre os produtos é transferida na partida, ou seja, na fábrica ou no endereço de estoque do exportador. Nesse grupo temos somente um único código:
- EXW: significa *Ex-Works*, expedição na fábrica. A empresa exportadora entrega os produtos destinados à exportação ao importador na sua fábrica ou local de estoque. Toda a documentação necessária para a exportação também deve ser providenciada para entrega nesse momento. O exportador pode carregar a mercadoria no veículo transportador do importador, porém o risco do seguro é do importador. Além disso, o importador se encarregará de transportar a carga até a unidade da Receita Federal, que processará a liberação da exportação, arcará com custos de armazenagem, carregamento e descarga, transporte e seguro internacional e das despesas da chegada da carga em seu país de destino. O exportador fica responsável pelos custos da liberação aduaneira da exportação, ou seja, das despesas com o despachante aduaneiro.

F: significa *Free*, ou seja, livre ou à disposição no local designado, acrescido da particularidade da sigla. Os INCOTERMS do Grupo F são utilizados quando a mercadoria é entregue pelo exportador no local efetivo de embarque do transporte internacional ao importador, com a exportação já liberada pela Receita Federal. Nesse grupo temos:

- FCA + Local designado na origem: significa *Free Carrier*, "Livre no Transportador" seguido da menção do local. A empresa vendedora entrega as mercadorias e os documentos de exportação, já liberados pela Receita Federal, ao importador, no armazém do transportador internacional que realizará o transporte. Vale comentar que o custo da descarga do veículo é do importador. Ademais, o importador ficará responsável pelos custos de armazenagem, carregamento e descarga, transporte e seguro internacional e das despesas da chegada da carga em seu país de destino;

- FAS + Nome do porto de origem: significa *Free Alongside Ship*, ou "Livre ao Lado do Navio" seguido do nome do porto. As mercadorias e os documentos são entregues, já liberados pela Receita Federal, ao importador, no costado do navio, ou seja, ao lado do navio no cais do porto de embarque. Nesse INCOTERM, o exportador arca com o transporte de sua fábrica até o porto e os custos de armazenagem, e o importador ficará responsável pelo carregamento e pela descarga, pelo transporte e pelo seguro internacional e das despesas da chegada da carga em seu país de destino. Esse termo só deve ser utilizado nos transportes marítimos ou hidroviários. Mesmo assim, ele é pouquíssimo utilizado nesses modais;

- FOB + Nome do porto de origem: significa *Free on Board*, "Livre a Bordo", seguido do nome do porto. As mercadorias e os documentos são entregues, já liberados pela Receita

223

Federal, ao importador, no navio que realizará a viagem internacional. Nessa situação, o exportador é responsável pelo transporte da mercadoria de sua fábrica até a bordo o navio, arcando com custos de armazenagem e carregamento no navio. Já o importador ficará responsável com o transporte e seguro internacional, descarga do navio e das despesas da chegada da carga em seu país de destino. Esse é um dos INCOTERMS mais utilizados no transporte internacional. Vale comentar que o exportador tem que estar ciente que ele é responsável pelo bom manuseio da carga até que ela esteja devidamente embarcada no navio, qualquer avaria na carga antes desse ponto é de sua inteira responsabilidade. Outro fato importante a mencionar é que esse INCOTERM só deve ser utilizado nos transportes marítimos ou hidroviários. O correspondente ao FOB para os modais rodoviários e aéreos é o FCA.

**c:** o grupo de INCOTERMS que tem início com a letra C indica que o transporte internacional é pago pelo vendedor, ou seja, o exportador arca com o frete internacional. A letra C refere-se a *cost*, "custo". Assim temos:

- CFR + Nome do porto de destino: significa *Cost and Freight*, "custo e frete" seguido do nome do porto de destino acordado com o importador. Nesse INCOTERM, o exportador é responsável pela contratação e pelo pagamento do frete internacional até o porto de destino do importador. Da mesma forma, todas as despesas anteriores ao embarque da carga no navio também ficam sob a responsabilidade do exportador, tais como transporte da mercadoria de sua fábrica até o porto de embarque, documentação de exportação, liberação com a Receita Federal, armazenagem e carregamento no navio. O importador ficará responsável pelo seguro internacional, pela descarga do navio e das despesas da chegada da carga em seu país de destino. Juntamente com o FOB, esse INCOTERM é amplamente utilizado no transporte internacional e só deve ser acessado nos transportes marítimos ou hidroviários. O seu correspondente para os modais rodoviários e aéreos é o CPT, que veremos logo adiante. Uma questão importante deve ser mencionada sobre esse INCOTERM, que é relativo ao seguro internacional. A responsabilidade dessa contratação é do importador, porém, caso ele não contrate o seguro e haja uma avaria na carga durante a viagem internacional, o importador pode alegar que a mercadoria não foi corretamente entregue no porto de destino. Por esse motivo, aconselhamos a utilização desse INCOTERM para operações com parceiros de longa data, caso contrário opte pelo INCOTERM CIF, que veremos a seguir;

- CIF + Nome do porto de destino: significa *Cost, Insurance and Freight*, "custo, seguro e frete" seguido do nome do porto de destino acordado com o importador. Esse INCOTERM é semelhante ao CFR, com o acréscimo da contratação do seguro de transporte internacional por conta do exportador. Em resumo, ele obriga o exportador a contratar e pagar pelo frete e seguro internacional até o porto de destino do importador. Da mesma forma, todas as despesas anteriores ao embarque da carga no navio também ficam sob a responsabilidade do exportador, tais como transporte da mercadoria de sua fábrica até o porto de embarque, documentação de exportação, liberação com a Receita Federal, armazenagem e carregamento no navio. O importador ficará responsável pela descarga do navio e das despesas da chegada da carga em seu país de destino. Vale comentar que da mesma forma que o FOB e o CFR, esse INCOTERM só deve ser utilizado nos transportes marítimos ou hidro-viários. O seu correspondente para os modais rodoviários e aéreos é o CIP, que veremos logo adiante.

- CPT + Local de destino designado: significa *Carriage Paid To*, "carregamento pago até" seguido do nome do porto de destino acordado com o importador. Da mesma forma que o INCOTERM CFR, no CPT o exportador é responsável pela contratação e pagamento do frete internacional até o porto de destino do importador. Todas as despesas anteriores ao embarque da carga no veículo transportador também ficam sob a responsabilidade do exportador, tais como transporte da mercadoria de sua fábrica até o porto de embarque, documentação de exportação, liberação junto com a Receita Federal, armazenagem e carregamento no veículo transportador. O importador ficará responsável pelo seguro internacional, pela descarga do veículo transportador e das despesas da chegada da carga em seu país de destino. Uma questão importante deve ser mencionada sobre esse INCOTERM que é relativo ao seguro internacional. A responsabilidade dessa contratação é do importador, porém, caso ele não contrate o seguro e haja uma avaria na carga durante a viagem internacional, o importador pode alegar que a mercadoria não foi corretamente entregue no porto de destino. Por esse motivo, aconselhamos a utilização desse INCOTERM para operações com parceiros de longa data, caso contrário opte pelo INCOTERM CIP, que veremos a seguir.

- CIP + Local de destino designado: Significa *Carriage and Insurance Paid to*, "carregamento e seguro pagos até" seguido do nome do porto de destino acordado com o importador. Esse INCOTERM é semelhante ao CPT, com o acréscimo da contratação do seguro de transporte internacional por conta do exportador. Em resumo, ele obriga o exportador a contratar e pagar pelo frete e seguro internacional até o porto de destino do importador. Da mesma forma, todas as despesas anteriores ao embarque da carga no veículo transportador também ficam sob a responsabilidade do exportador, tais como transporte da mercadoria de sua fábrica até o porto de embarque, documentação de exportação, liberação com a Receita Federal, armazenagem e carregamento no veículo transportador. O importador ficará responsável pela descarga do veículo transportador e das despesas da chegada da carga em seu país de destino.

**D:** os INCOTERMS que iniciam com a letra D referem-se às definições em que o exportador responsabiliza-se pela entrega das mercadorias no mercado de destino, já que a letra D abrevia a palavra *Delivered*, "entregue", como segue:

- DAP + Nome do local de destino: significa *Delivered at Place*, "entregue no local carregado" seguido do nome do local de destino acordado com o importador. Esse INCOTERM acarreta uma grande responsabilidade ao exportador e normalmente é utilizado entre empresas do mesmo grupo ou entre matrizes e filiais, pois nessa situação o exportador obtém um controle quase total da operação de exportação e importação, responsabilizando-se por operar a recepção da carga no país do seu comprador, ou seja, o exportador deve transportar a mercadoria de sua fábrica até o porto de embarque, providenciar a documentação de exportação, liberação com a Receita Federal, armazenagem no país de embarque, carregamento no veículo transportador, contratar e pagar pelo frete e seguro internacional até o porto de destino do importador, descarregar do veículo transportador, armazenar no porto de destino e transportar até

227

o local designado na negociação com o importador para ser desembarcada. Já o importador ficará responsável pela liberação da carga no país de destino, descarga do veículo e eventual transporte do local designado na negociação com o exportador até o seu estabelecimento;

- DPU + Nome do terminal no porto de destino: significa *Delivered At Place Unloaded,* "entregue no terminal descarregado" seguido do nome do terminal no porto de destino acordado com o importador. Da mesma forma que o DAP, esse INCOTERM acarreta uma grande responsabilidade ao exportador, pois ele fica responsável por quase toda a operação logística, ou seja, o exportador deve transportar a mercadoria de sua fábrica até o porto de embarque, providenciar a documentação de exportação, liberação junto com a Receita Federal, armazenagem no país de embarque, carregamento no veículo transportador, contratar e pagar pelo frete e seguro internacional até o porto de destino do importador, descarregar do veículo transportador, transportar e descarregar a carga no terminal designado na negociação com o importador. Já o importador ficará responsável apenas pela liberação da carga no país de destino e eventual transporte até o seu estabelecimento.

- DDP + Nome do local de destino: significa *Delivered Duty Paid,* "entregue com impostos pagos" seguido do nome do local de destino acordado com o importador. Esse INCOTERM é normalmente utilizado em operações onde o exportador deseja enviar uma amostra grátis a um provável comprador no exterior, pois o exportador arca com todas as despesas de transporte, seguro, manuseio e impostos até o destinatário da carga. Esse INCOTERM também é utilizado em operações de *e-commerce* de baixo valor aduaneiro.

Modalidade de transporte é muitas vezes abreviada para o termo "modal" entre as pessoas que operam em comércio exterior. Multimodal significa que há várias modalidades de transporte inclusas.
Por exemplo, o INCOTERM DDP é multimodal.

No momento da negociação, é comum a definição do preço seguido da sigla do INCOTERM selecionado. Isso indica que o preço negociado já contempla os custos relacionados às responsabilidades do vendedor até o momento que o importador as assume.

A contratação do seguro internacional só é obrigatória nos INCOTERMS CIF e CIP. Nas demais modalidades, o responsável pela contratação do seguro pode assumir o risco da operação.

- Resumo da transferência de obrigações por INCOTERMS

**Legenda:**
- E: usado quando a obrigação é do exportador;
- I: usado quando a obrigação é do importador;
- /: usado quando a obrigação pode ser do exportador ou do importador, ou seja, a combinar; e
- -: usado na ausência da obrigação.

| Obrigações/termos | | EXW | FCA | FAS | FOB | CFR | CIF | CPT | CIP | DAP | DPU | DDP |
|---|---|---|---|---|---|---|---|---|---|---|---|---|
| **País de origem** | Documentação/embalagem | E | E | E | E | E | E | E | E | E | E | E |
| | Carregamento na fábrica | I | E | E | E | E | E | E | E | E | E | E |
| | Transporte local | I | E | E | E | E | E | E | E | E | E | E |
| | Seguro de transporte local | I | - | - | - | - | - | - | - | - | - | - |
| | Inspeção | / | / | / | / | / | / | / | / | / | / | / |
| | Liberação da exportação | E | E | E | E | E | E | E | E | E | E | E |
| | Armazenagem | I | I | E | E | E | E | E | E | E | E | E |
| | Manuseio da carga | I | I | E | E | E | E | E | E | E | E | E |
| | Despesas de embarque | I | I | I | E | E | E | E | E | E | E | E |
| | Carregamento da carga | I | I | I | E | E | E | E | E | E | E | E |
| **Frete** | Transporte internacional | I | I | I | I | E | E | E | E | E | E | E |
| | Seguro internacional | I | I | I | I | I | E | I | E | - | - | - |
| **País de destino** | Descarregamento no porto | I | I | I | I | I | I | I | I | E | E | E |
| | Despesas de desembarque | I | I | I | I | I | I | I | I | E | E | E |
| | Manuseio da carga | I | I | I | I | I | I | I | I | E | E | E |
| | Armazenagem | I | I | I | I | I | I | I | I | E | E | E |
| | Liberação da importação | I | I | I | I | I | I | I | I | I | I | E |
| | Transporte local | I | I | I | I | I | I | I | I | E | E | E |
| | Seguro de transporte local | - | - | - | - | - | - | - | - | - | - | - |
| | Descarregamento no importador | I | I | I | I | I | I | I | I | I | E | E |

## ■ 3.6. Conhecimento específico 6: modalidades de pagamento

Existem diversas modalidades de pagamento que podem ser utilizadas no comércio exterior. Algumas podem oferecer mais riscos para o exportador enquanto outras para o importador. Entretanto, há modalidades bastante seguras, mas que podem implicar um pequeno aumento de custo. Entre elas temos a carta de crédito, que é a forma de pagamento que elegemos para o nosso fluxo operacional, já que é recomendável sempre que uma operação com um novo importador é iniciada. Com o ganho de confiança, ao passar do tempo, é possível mudar a modalidade de pagamento de maneira que torne a operação de venda e compra mais competitiva no mercado externo.

### ■ Carta de crédito

Está entre as maneiras mais seguras para receber um pagamento internacional, e por isso, é bastante usada, especialmente quando não se tem certeza da idoneidade do cliente ou histórico de operações longo o suficiente para que haja confiança.

Podemos compreendê-la como uma ordem de pagamento condicionada ao cumprimento mútuo de obrigações. Ela é emitida pelo banco do comprador, do importador, chamado de banco emissor, mediante pedido do comprador estrangeiro. O exportador será o favorecido na carta de crédito e o seu banco figurará como banco tomador, que validará o crédito concedido pelo banco emissor. Ambas as partes devem cumprir as exigências processuais acordadas e descritas no documento. As mais comuns são:

- Valor do crédito;
- Beneficiário e endereço;
- Prazo para embarque da mercadoria;
- Prazo de negociação do crédito;
- Porto de embarque;
- Porto de destino;
- Descrição da mercadoria com quantidades,
- Permissão ou não para embarques parciais e para transbordo de veículo transportador;
- Quantidade e qualidade das vias dos documentos da operação, tais como fatura comercial, romaneio de carga e conhecimento de transporte; e

- Certificados e/ou outras declarações quando necessários de acordo com o produto ou país de destino.

Pode haver mais exigências dependendo das especificidades do produto e dos termos negociados. No caso de alimentos, por exemplo, é possível que o importador faça exigências de certificados que garantam a qualidade do produto até mesmo para que seja aceito pelas inspeções locais no momento da liberação da carga no país do importador.

Nesse sentido, a carta de crédito é um documento de garantia do cumprimento do contrato sob pena e risco do não recebimento. O exportador tem mais garantias, já que caso o importador não pague, o débito será com o banco emissor no país de destino das mercadorias.

### ■ Cobrança com saque

Nessa modalidade de pagamento, conhecida como *sight draft*, os bancos do exportador e do importador assumem a intermediação documental. Assim, o exportador embarca a mercadoria e envia a documentação da exportação ao seu banco no Brasil. Este, por sua vez, encaminha os documentos ao banco do importador, que somente entregará a documentação para a liberação da mercadoria no país de destino no ato do pagamento.

Vale comentar que esse tipo de cobrança só se faz pertinente para a modalidade de pagamento à vista, quando o exportador embarca a mercadoria e recebe mediante a comprovação do embarque. Na situação de pagamento a prazo, a condição mais segura é a carta de crédito, conforme mencionado anteriormente, ou executar uma cobrança sem saque, como veremos a seguir.

# ■ Remessa sem saque

Em inglês chama-se *Clean Collection*. Nessa modalidade, o vendedor assume a maior parte dos riscos. Ele envia toda a documentação para o comprador no exterior e, de posse da documentação, libera a mercadoria no seu país de destino e efetua o pagamento conforme negociado anteriormente com o exportador. A remessa sem saque é normalmente utilizada por empresas com bons históricos comerciais, cujo risco de não pagamento é baixo. Não é recomendável a empresas que não possuem fortes vínculos contratuais com parceiros idôneos e longo relacionamento comercial.

## ■ Pagamento antecipado

Conhecida em inglês como *Payment in Advance*, ocorre, como o próprio nome indica, quando o comprador estrangeiro faz o pagamento antecipadamente, para depois o exportador providenciar o embarque e a documentação pertinente. O maior risco, nesse caso, fica por conta do importador. É recomendado para empresas com laços comerciais fortes ou quando há uma condição de pagamento composta, como: 30% antecipado, 20% à vista (remessa com saque) e 50% a prazo (60 dias) via carta de crédito.

Como a atividade de exportação envolve a saída de produtos e a entrada de dinheiro estrangeiro (ingresso de divisas), são necessárias formalidades e acompanhamentos por parte dos governos. No Brasil, esse controle é feito por meio do SISCOMEX, o que proporciona agilidade, simplificação e redução de custos no processo.

O SISCOMEX é um sistema informatizado que integra todas as partes e atividades relacionadas às vendas e compras internacionais para efeito de controle e acompanhamento no Brasil.

Para registrar suas operações, as empresas ou seus representantes legais acessam o sistema via on-line ou a partir de um programa instalado em um computador por um certificado digital. Dentro da plataforma do sistema é possível entrar em contato com os organismos oficiais envolvidos nas operações de comércio exterior.

Caso sua empresa terceirize as exportações, ou seja, realize exportações indiretas, a sua terceirizada poderá se habilitar no sistema e seguir os procedimentos necessários para fazer os registros em nome de sua empresa ou de sua terceirizada.

O *website* do SISCOMEX possui importantes informações sobre seu funcionamento. É possível conhecer seus sistemas integrados digitando "Lista de sistemas" em seu mecanismo de busca: http://portal.siscomex.gov.br.

Todavia, para acessar o sistema, é preciso estar formalmente habilitado para operar no Comércio Exterior do Brasil.

## ■ 4. PARTES ENVOLVIDAS NO PROCESSO: ORGANIZAÇÕES

## ■ 4.1. Organização 1: exportador

### ■ A - Exportação direta

Quando a sua empresa realiza vendas internacionais por si mesma, ou seja, sem o auxílio de terceiros (*trading company* e/ou comerciais exportadoras) chamamos essa modalidade de exportação direta. Quanto mais profissional for essa atividade, mais sucesso o negócio obterá.

Grande parte das empresas brasileiras opta por ter um departamento exclusivo dedicado às exportações. Essa opção pode oferecer uma vantagem, já que uma área dedicada exclusivamente às atividades de internacionalização aumenta o foco da exportação. Por outro lado, existe sempre o risco do restante da empresa não ter participação no planejamento e na execução de atividades que se relacionam direta ou indiretamente com o sucesso das vendas internacionais.

De qualquer modo, é importante que todas as áreas envolvidas na atividade exportadora sejam conhecedoras das informações.

### ■ B - Terceirização (exportação indireta)

A atividade que consiste da terceirização das vendas internacionais da sua empresa é conhecida como exportação indireta. As empresas especializadas nessa modalidade são chamadas de *trading companies* ou comerciais exportadoras.

As vantagens da terceirização das atividades de vendas internacionais podem variar desde a não necessidade do cumprimento de registros para atuação internacional até a contratação de serviços de pesquisa de mercado internacional e prospecção de clientes, bem como as vendas propriamente ditas.

Algumas *tradings* podem oferecer serviços que abrangem pesquisa de mercado, busca de clientes, organização logística e financeira internacional. Como em todo plano de negócios, é sempre recomendável verificar a experiência da empresa a ser contratada e sua aderência à estratégia de negócios da sua empresa.

Caso você opte por exportações indiretas, é necessário identificar empresas idôneas e que ofereçam serviços compatíveis com o planejamento da sua empresa.
O Conselho Nacional das Empresas Exportadoras e Importadoras pode ser uma ótima fonte de informação.
O *site* deles é: www.ceciex.com.br.

## ■ 4.2. Organização 2: cliente direto (importador)

O comprador em uma operação internacional é conhecido como importador e é efetivamente o cliente ao qual as exportações se destinam. Ele pode ser uma *trading company*, um atacadista, um varejista, ou até mesmo, em alguns casos, uma pessoa física.

É sempre recomendável ter a maior quantidade possível de informações sobre o importador. Além disso, o relacionamento estabelecido com ele tem grande impacto nos resultados dos negócios internacionais.

## ■ 4.3 Organização 3: instituições financeiras

Entre os aspectos mais importantes da exportação, está o recebimento do pagamento. Essa operação envolve a compra e venda de moedas de diferentes países.

Nesse caso, o exportador recebe o valor exportado em moeda estrangeira e, para receber em moeda nacional, deve vender as moedas estrangeiras resultantes de suas vendas internacionais, uma vez que, por aspectos legais, as moedas estrangeiras são consideradas patrimônio da União. Essa operação é chamada de fechamento de câmbio.

Contudo, todo o processo de compra e venda de moedas de diferentes países é realizada por instituições financeiras, facilitando assim a operação. Veremos a seguir as instituições e seu envolvimento na operação.

### ■ A. Corretora de câmbio

A corretora de câmbio é uma organização intermediária entre a empresa e o banco. Ela responde pelos aspectos formais e pela identificação do cliente, mas não pelos direitos e pelas obrigações decorrentes do contrato do câmbio.

Entre as principais funções da corretora de câmbio estão a intermediação da operação, a busca de melhores condições de negócios para sua empresa, o fornecimento de orientações quanto aos aspectos técnicos, administrativos, regulatórios e financeiros e procurar sempre as melhores opções e cotações até a liquidação final da operação de venda.

As corretoras de câmbio são remuneradas com uma taxa de realização de operações conhecida como corretagem.

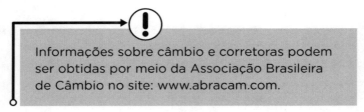

Informações sobre câmbio e corretoras podem ser obtidas por meio da Associação Brasileira de Câmbio no site: www.abracam.com.

## ■ B. Bancos

Os bancos desempenham papéis essenciais no comércio internacional e diferentes funções. Conforme suas ações, podemos classificá-los em:

- Banco tomador: é o banco que o exportador elege para receber o dinheiro proveniente das exportações. Esse dinheiro é conhecido como divisas. Quando estamos falando da modalidade de pagamento carta de crédito, o importador é responsável pela abertura e custas do documento, comprometendo-se, por meio de seu banco no exterior, a pagar a operação por intermédio do banco tomador que creditará o beneficiário, no caso, o exportador;
- Banco emissor: é a instituição financeira eleita pelo banco tomador para efetuar o crédito;
- Banco avisador: é aquele que avisa sobre a existência de um crédito em favor do beneficiário. A figura do banco avisador não é necessária em operações via carta de crédito com países considerados desenvolvidos;
- Banco negociador: geralmente é o banco eleito pelo exportador para realizar a operação de carta de crédito. Ele lidará com a documentação e a comunicação com o banco emissor.

■ C. Outras instituições

Atualmente, é muito comum que compras internacionais de baixo valor e volume sejam realizadas via transferência eletrônica ou cartão de crédito. Neste caso, o vendedor/exportador deve se informar com essas empresas como é o fluxo para a operacionalização das vendas e as formas e os meios para receber os pagamentos e as tarifas cobradas nessa transação.

■ **4.3. Organização 4: despachantes aduaneiros**

O despachante aduaneiro é aquele que se encarrega de formular a declaração de exportação única no SISCOMEX, efetua a entrega da documentação no ponto de saída da carga do Brasil e providencia a liberação da exportação com a Receita Federal no ponto de alfândega em que a carga está sendo exportada. Sua atuação é regulamentada e sua contratação é obrigatória.

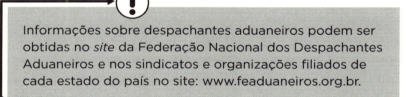

Informações sobre despachantes aduaneiros podem ser obtidas no *site* da Federação Nacional dos Despachantes Aduaneiros e nos sindicatos e organizações filiados de cada estado do país no site: www.feaduaneiros.org.br.

■ **4.4. Organização 5: transporte internacional**

Informações sobre transportes podem ser obtidas com o Ministério da Infraestrutura: http://infraestrutura.gov.br.

## ■ A. Agente de carga

Conhecido em inglês como *Freight Forwarder*, é a organização que realiza a cotação de carga e informa a melhor forma logística a ser utilizada na exportação.

Os agentes de carga são recomendados a empresas que não possuem experiência em comércio exterior. Esses agentes possuem forte atuação em logística internacional e costumam ter áreas especializadas para a operação em todas ou algumas regiões do planeta.

Alguns agentes de carga podem oferecer serviços de *trading company*, despacho aduaneiro e seguro internacional. É sempre recomendável verificar sua experiência na atuação na área.

Alguns agentes de carga podem oferecer serviços de despacho aduaneiro. É recomendável verificar a melhor relação custo-benefício.

## ■ B. Transportador marítimo

Em inglês *Shipowner* ou *Ship-owner*, é o proprietário de um navio (ou frota de navios) que explora comercialmente o transporte de cargas pelos mares e oceanos. Também conhecido como armador, que no caso é um termo proveniente do italiano e significa "prover tripulação de equipamentos e documentação". O armador também opera o navio e o afreta (aluga para frete). Não deve ser confundido com a gestão de navios *(ship manager)* que diz respeito a empresas que administram operações de um ou mais navios em nome de seus clientes.

É importante ressaltar que existem vários tipos de embarcações, cada uma para uma carga específica. Por exemplo, se a carga necessita de refrigeração, se o transporte é de veículos ou de produtos a granel, entre uma grande oferta de possibilidades.

Existem *sites* especializados em transporte marítimo. Para obter mais informações, entre em contato com a Associação Brasileira dos Terminais Portuários: www.abtp.org.br e/ou no Guia Marítimo www.guiamaritimo.com.br, em que se pode buscar serviços por tipo e localização.

### ■ C. Transporte aéreo

Esse tipo de transporte é realizado por empresas de navegação aérea por meio de aeronaves de tipos e tamanhos variados. É uma modalidade de transporte diferente das demais, já que possui vias de tráfego aéreas no trânsito e terrestres no momento da operação de carga e descarga.

Geralmente, fora limitação relativa a quantidades e, raramente, a dimensões, essa modalidade pode ser utilizada para praticamente todo tipo de carga. A desvantagem é que o transporte aéreo costuma ser expressivamente mais caro que as demais modalidades, porém, como vantagem, existe a velocidade da entrega da carga. Por isso, a maioria das empresas exportadoras que contrata essa modalidade trabalha com produtos de alto valor agregado.

O transporte aéreo pode ser realizado em aviões exclusivamente cargueiros ou em aeronaves que transportam passageiros.

Informações sobre transporte aéreo podem ser obtidas no *site* da *International Air Transport Association* (IATA): www.iata.org.

### ■ D. Transporte rodoviário

Bastante utilizado no Brasil devido ao fato de grande parte do comércio ser realizada com os países com os quais temos fronteiras, é possível enviar praticamente qualquer produto por transporte rodoviário.

Ele apresenta algumas vantagens em relação a outros modais, entre elas pode se destacar a possibilidade de venda na condição de entrega porta a porta. Além disso, ele é mais flexível em relação ao acesso às cargas e permite integrar regiões mesmo mais afastadas, situadas no interior, longe de portos e aeroportos.

Assim como o transporte marítimo, existem vários tipos de opções de transportes rodoviários, com diferentes capacidades, tamanhos e formas. Selecione aquele que melhor se adequa aos produtos da sua empresa.

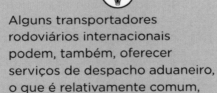

Alguns transportadores rodoviários internacionais podem, também, oferecer serviços de despacho aduaneiro, o que é relativamente comum, já que o veículo transportador cruza as fronteiras.

### ■ E. Outros transportes

Teoricamente, podem existir diversos tipos de transportes para que o produto chegue ao seu destino internacional, além do marítimo, do aéreo e do rodoviário. Seria possível exportar por meio de rios – transporte fluvial, lagos – transporte lacustre, e ferrovias – transporte ferroviário.

Entretanto, por questões geográficas, físicas e históricas, os exportadores brasileiros raramente utilizam essas modalidades e, por isso, damos a elas menor destaque neste livro.

Contudo, para mais informações, é recomendável consultar o site do Ministério da Infraestrutura, que consta no início desta seção e trata de transportes internacionais.

## ■ F. Contêineres

Grosso modo, contêiner nada mais é do que um recipiente, se considerarmos a tradução literal. Entretanto, quando estamos falando de comércio exterior, esse recipiente é o lugar onde as mercadorias são transportadas, facilitando a sua movimentação nos portos, nos aeroportos e nas fronteiras, além de protegerem a carga das intempéries. O contêiner é, via de regra, uma grande caixa feita em aço, alumínio ou fibra, criado para transportar mercadorias, sendo suficientemente resistente para garantir a perenidade do seu uso.

Durante os anos 1950, teve início a utilização dos contêineres para o transporte marítimo e, desde então, eles têm sido utilizados para grande parte das operações de transporte internacional de mercadorias.

Os contêineres possuem dimensões padronizadas e a acomodação das mercadorias dentro deles pode estar entre os grandes fatores que impactam o bom estado e até mesmo o preço dos produtos no mercado de destino.

Se a sua própria empresa é a responsável pelo processo de exportação no que tange à logística, atente-se para a acomodação correta da carga no interior dos contêineres, a fim de utilizar o melhor espaço possível, respeitando o número máximo de produtos e peso limite do contêiner, além de garantir o bom estado dos produtos, considerando os riscos de avarias não cobertas pelo seguro internacional.

As dimensões padrões dos contêineres marítimos são medidas em pés e polegadas. Entre as mais comuns, estão:
- ✓ Contêiner padrão de 20' (vinte pés): 6,09 m de profundidade, 2,43 m de altura e 2,43 m de largura;
- ✓ Contêiner padrão de 40' (quarenta pés): 12,19 m de profundidade, 2,43 m de altura e 2,43 m de largura;
- ✓ Existem outras dimensões no que tange à altura quando o contêiner não é padrão (*standard*).

Além das dimensões padrões dos contêineres marítimos, existe uma enorme variedade de contêineres em relação aos seus tipos e finalidades. Entre eles, há aqueles totalmente fechados, conhecidos como *dry box,* outros abertos no teto (*open top*) ou na lateral (*siders*), outros ainda para granéis líquidos ou sólidos, conhecidos como *bulk container,* além de contêineres ventilados e com controle de temperatura conhecidos como *reefers*. É importante consultar a empresa responsável pelo transporte dos seus produtos para seleção do tipo de contêiner mais adequado.

Também há diversos contêineres utilizados no transporte aéreo, que possuem tamanhos e dimensões de acordo com a aeronave que efetuará o transporte da carga, mas esses não saem dos aeroportos, sendo de uso e movimentação exclusiva das companhias aéreas.

## ■ 5. DOCUMENTAÇÃO

### ■ 5.1. Documentação 1: ordem de compra

Pelo mundo afora, é conhecido como *Purchase Order.* Embora não seja um documento formal obrigatório, e cada vez menos utilizado, é uma maneira de o importador formalizar o pedido de compra para o exportador, aumentando as evidências da realização do negócio. Pode ser útil em modalidades de pagamento menos seguras. No entanto, é importante frisar que não oferece a mesma segurança de uma carta de crédito.

### ■ 5.2. Documentação 2: fatura proforma

Em inglês, *Proforma Invoice*, é um documento a ser elaborado pelo exportador e compreende todos os termos da negociação. Assim, tudo o que foi acordado deve estar contemplado nessa documentação, como: forma de pagamento, INCOTERMS, preços, quantidades e características físicas da mercadoria (dimensões, peso, cores etc.), entre outros. Muitas vezes, esse documento é encaminhado para o importador para que ele use no momento da abertura da carta de crédito.

### ■ 5.3. Documentação 3: carta de crédito

O documento conhecido internacionalmente como *Letter of Credit* é resultante da modalidade de pagamento que selecionamos para o fluxograma devido à segurança e à larga utilização para pagamentos frutos de negócios internacionais. Mais informações são encontradas no tópico "Modalidades de pagamento".

### ■ 5.4. Documentação 4: atendendo a exigências legais do país de destino (certificados)

Cada mercado pode ter exigências específicas para que as mercadorias ingressem e sejam nacionalizadas. Para isso, podem ser exigidos certificados de várias naturezas. Entre os mais comuns, está o certificado de origem que é emitido por várias

245

entidades, entre as quais as federações de comércio e outras instituições autorizadas pela SECEX.

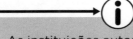

As instituições autorizadas a emitir o certificado de origem constam do *site* do SISCOMEX. Basta digitar "certificado de origem" no mecanismo de busca do *site*: portal.siscomex.gov.br.

Outros certificados podem estar relacionados a qualidade, boas práticas, sustentabilidade ou outras exigências legais. É recomendável consultar junto às representações diplomáticas do Brasil no exterior, do país no Brasil ou câmaras de comércio.

## ■ 5.5. Documentação 5: informações para o ingresso da carga no exterior (fatura comercial)

Para a carga ingressar formalmente no exterior, ou seja, ser desembaraçada, o importador deve apresentar um documento semelhante à fatura proforma, mas o objetivo deste é possibilitar o ingresso das mercadorias no exterior. Esse documento é a fatura comercial ou, em inglês, *Commercial Invoice*. Ela é emitida pelo exportador e deve conter todos os termos da negociação, contemplado forma de pagamento, INCOTERMS, preços, quantidades e características físicas da mercadoria (dimensões, peso, cores etc.). Pode-se dizer que a fatura comercial funciona, grosso modo, como uma Nota Fiscal internacional e é um dos documentos obrigatórios no comércio exterior.

## 5.6. Documentação 6: informando como a mercadoria está acomodada (*Packing List*)

Essa atividade é realizada por meio da elaboração do romaneio de carga, ou *Packing List*, como é internacionalmente conhecido. Esse documento é elaborado pela empresa exportadora e deve acompanhar a carga até seu destino final no exterior. Ele deve descrever a maneira como a mercadoria exportada está acondicionada, incluindo as embalagens que acomodam os produtos comercializados, a quantidade, o volume, o peso líquido e bruto e as dimensões da mercadoria. Adicionalmente, é útil para fazer cotação de frete e reserva de praça/espaço físico (*booking*) com o agente de carga/*freight forwarder* ou o transportador internacional.

## 5.7. Documentação 7: nota fiscal

Assim como em uma operação comum no transporte em território nacional, a Nota Fiscal deve ser emitida para que a mercadoria deixe o local de coleta e destine-se até o porto, aeroporto ou ponto onde será realizado o transporte internacional. A Nota Fiscal não precisa ser enviada ao importador, sendo um documento exclusivamente nacional.

## 5.8. Documentação 8: conhecimento de transporte internacional

Esse é o documento que formaliza que a mercadoria será transportada para além das fronteiras do país. Como o transporte internacional pode ser marítimo, aéreo, rodoviário ou multimodal, esse documento também tem suas versões compa-

tíveis. São elas:
- Conhecimento de embarque marítimo, *Bill of Lading* (B/L): documento emitido pelo agente de carga ou pela companhia marítima responsável por realizar o transporte internacional por via marítima;
- Conhecimento de embarque aéreo, *Airway Bill* (AWB): é a versão aérea do conhecimento de embarque e é emitido pela companhia aérea ou pelo agente de carga que transportará a mercadoria; e
- Conhecimento Rodoviário de Transporte (CRT), *Road Way Bill* (RWB): é o documento emitido pelo agente de carga ou pela transportadora que acumula a função de agente e realiza o transporte internacional por rodovias.

Exemplos desses documentos podem ser verificados por meio das ferramentas de busca na internet. Basta digitar o nome do documento e filtrar por "imagens".

## 5.9. Documentação 9: declaração única de exportação

Emitido pelo despachante credenciado pelo exportador no SISCOMEX. Também pode ser realizado pela própria empresa, caso ela tenha um profissional especializado ou uma área específica para a atividade de comércio exterior. Nesse documento constam informações fiscais, financeiras e comerciais da operação de exportação. Com a declaração única de exportação, o processo de venda internacional é formalizado com a Receita Federal.

### As vantagens das exportações indiretas

As exportações indiretas oferecem diversas vantagens tanto para quem está no início das vendas internacionais quanto para as empresas experientes.

Para os iniciantes, existe a facilidade de contar com empresas experientes em atuação internacional, podendo gerar resultados em um período menor de tempo e com menos investimento, já que a fabricante economiza por não ter de manter equipes em um setor exclusivo. Além disso, não vai precisar se preocupar com as operações de exportação que são diferentes de um processo de venda no mercado brasileiro.

Nessa opção de vendas internacionais, o negócio conta com uma equipe especializada de seu parceiro contratado. Na maioria das vezes, são profundos conhecedores de leis, processos, além de buscarem os clientes mais potenciais para as características da empresa contratante, deixando-a livre para focar estratégias e desenvolvimento de produtos.

Os profissionais que atuam em comerciais exportadoras, por exemplo, podem se envolver ainda com o planejamento do produto e das ações de marketing, dando *inputs* e *feedbacks* sobre melhorias e inovações necessários para ter mais sucesso no mercado externo, o que frequentemente também tem impacto no mercado interno.

Todavia, nem só os iniciantes usam essa opção. Grandes empresas também podem contratar *tradings* ou comerciais exportadoras para promoverem seus produtos em mercados em que não atuam, diversificando e aumentando suas vendas.

Contratar *experts* para realizar vendas internacionais é um salto à frente quando resultados são necessários antes do tempo requerido para o aprendizado e a aquisição de experiência com as particularidades do comércio internacional.

**Damaris Eugênia Avila da Costa**
Gerente geral na Braseco Comercial Importadora e Exportadora e presidente do conselho deliberativo do CECIEX. Palestrante e atuante há mais de trinta anos no setor.
www.ceciex.com.br
E-mail: ceciex@ceciex.com.br

# Para continuar

A internacionalização é algo dinâmico por natureza. Há uma miríade de formas de internacionalizar-se. Além disso, o ambiente internacional ou global torna-se cada vez mais dinâmico com o uso frequente de tecnologias e inteligência artificial.

É importante estar sempre conectado com os órgãos de vanguarda no assunto. Ministério das Relações Exteriores, entidades de classe, SEBRAE, Federação das Indústrias, Apex-Brasil, entre outros, são exemplos de organismos que podem ser monitorados para se manter atualizado.

Além disso, nosso foco pessoal como agente catalizador de processos deve ser o internacional. Assim, como apresentamos no capítulo de internacionalização de pessoas, devemos nos manter sempre atentos aos assuntos geográficos, econômicos e culturais que tenham a ver com internacionalização.

Por fim, para facilitar sua jornada daqui em diante, indico o acesso periódico aos órgãos apresentados neste livro.

Na esperança de este guia ter sido útil para você, desejo sucesso e me coloco à disposição para apoiar o seu processo de desenvolvimento de negócios.

# Bibliografia

ACUFF, Frank L. *Como negociar qualquer coisa com qualquer pessoa em qualquer lugar do mundo.* São Paulo: Senac, 1997.

ARMSTRONG, Karen. *A history of God:* The 4,000-Year Quest of Judaism, Christianity and Islam. New York: Ballantine Books, 1993.

BROWN, Keith; OGILVIE, Sarah. *Concise Encyclopedia of the Languages of the World.* Oxford: Elsevier Science, 2009.

BURTON, Kate. Coaching *com PNL para leigos.* Rio de Janeiro: Alta Books, 2015.

CAMBRIDGE UNIVERSITY PRESS. *Cambridge Dictionary.* Disponível em: <https://dictionary.cambridge.org/pt/dicionario/ingles/coaching>. Acesso em: 14 abr. 2020.

CHAFFEY, Dave. Resumo global da pesquisa em mídia social 2020. *Smart Insights.* Disponível em:< https://www.smartinsights.com/social-media-marketing/social--media-strategy/new-global-social-media-research/>. Acesso em: 14 abr. 2020.

CHALLITA, Mansour. *O Alcorão ao alcance de todos.* Rio de Janeiro: ACIGI, 2002.

CLAYTON, Terry E. *Cultural Intelligence in Plain English:* What It Is, Why You Need It, How to Get Some. Udon Thani: Red Plough International Co. Ltd, 2018.

CLEMENT, J. Number of social network users worldwide from 2010 to 2021 (in billions). *Statista.* jul. 2017. Disponível em: <https://www.statista.com/statistics/278414/number-of-worldwide-social-network-users/>. Acesso em: 02 fev. 2019.

EARLEY, P. Christopher; MOSAKOWSKI, Elaine. Cultural Intelligence. *Harvard Business Review*, out. 2004. Disponível em: <https://hbr.org/2004/10/cultural-intelligence>. Acesso em: 14 abr. 2020.

FERREIRA NETTO, Geraldino A. *Doze lições sobre Freud e Lacan.* 4 ed. Campinas: Pontes Editores, 2015.

FREUD, Sigmund. *O futuro de uma ilusão, o mal-estar na civilização e outros trabalhos.* Rio de Janeiro: Imago, 1974.

FREYRE, Gilberto. *Interpretação do Brasil*. 3 ed. São Paulo: Global, 2016.

HALL, Stuart. *A identidade cultural na pós-modernidade*. 12 ed. Rio de Janeiro: DP&A, 1997.

HOFSTEDE, Geert. *Culture's Consequences*: Comparing Values, Behaviors, Institutions, and Organizations Across Nations. 2 ed. New York: SAGE Publications, 2001.

JAKOBSON, Roman. *Linguística e comunicação*. 22 ed. São Paulo: Pensamento-Cultrix, 2010.

JAMES, Paul. *Globalism, Nationalism, Tribalism*: Bringing Theory Back In. London: SAGE Publications, 2006.

JORGE, Marco Antonio C.. *Fundamentos da psicanálise de Freud a Lacan*. 2 ed. Rio de Janeiro: Zahar, 2016. (Bases conceituais, v. 1).

KOTLER, Philip; KELLER, Kevin L. *Administração de marketing*. São Paulo: Atlas, 1996.

KOTLER, Philip; JATUSRIPITAK, Somkid; MAESINCEE, Suvit. *O marketing das nações*: uma abordagem estratégica para construir as riquezas nacionais. Sao Paulo: Futura, 1997.

LACAN, Jacques. *Escritos*. Rio de Janeiro: Zahar, 1995.

LONGENECKER, J. G. et alii. *Administração de pequenas empresas*. 13 ed. São Paulo: Thomson, 2007.

NÖTH, Winfried; SANTAELLA, Lucia. *Introdução à semiótica*. São Paulo: Paulus, 2017.

ROBBINS, Stephen P. *Comportamento organizacional*: teoria e prática no contexto brasileiro. São Paulo: Pearson Education, 2008.

ROUDINESCO, Elisabeth; PLON, Michel. *Dicionário de psicanálise*. Rio de Janiero: Zahar, 1997.

SANTAELLA, Lucia. *Semiótica aplicada*. São Paulo: Cengage Learning, 2002.

_____. *O que é semiótica*. São Paulo: Brasiliense, 2012. (Coleção Primeiros Passos)

_____; HISGAIL, Fani. *Semiótica psicanalítica*: clínica da cultura. São Paulo: Iluminuras, 2016.

SANTOS, José Luiz. *O que é cultura*. São Paulo: Brasiliense, 2017. (Coleção Primeiros Passos)

SAUSSURE, Ferdinand. *Curso de linguística geral*. 28 ed. São Paulo: Editora Pensamento-Cultrix, 2012.

SINA, Amalia. *Psicopata corporativo*: identifique-o e lide com ele. São Paulo: Évora, 2017.

Contato com o autor:

**rsolano@editoraevora.com.br**

Este livro foi impresso pela gráfica Renovagraf